Jones, Rhiannon Davies. LLELAN LLAN LLYR. *Y March*
1st edition. Small 8vo. 125pp. Several b/w. illustrations, Welsh

Stock Number: 147589

Price: **£4.50**

Subject: L[illegible]RE

Date Catalogued:

Comments:

Quantity: **1** Shelf: **FEW05** Shop: **T**[illegible] **ue/whit**

Gwyn, Dinbych 1965.
ext. original boards, in rubbed d/w.

xt

LLEIAN LLAN LLŶR

Gan

RHIANNON DAVIES JONES

Argraffiad cyntaf 1965

Cyhoeddwyd gan Wasg y March Gwyn, Dinbych.
Argraffwyd gan Wasg y Sir, Y Bala

Lleiandy Llan-llŷr,
Is-Aeron.
Noswyl Nadolig, 1240.

ODDI allan i'r Clas heddiw gwelais fwyalchen wedi marw yn yr eira. Nid oedd wedi llawn oeri. Sugnodd dau 'smotyn o waed i'r eira crychias a chofiais am hen chwedl a glywswn yn llys Aber yn Arllechwedd Ucha'. Anarawd Hen y Cyfarwydd oedd yn ei hadrodd ac meddai :

> "Sef a oruc Peredur, sefyll a chyffelybu düwch y frân a gwynder yr eira a chochter y gwaed i wallt y wraig fwyaf a garai . . ."

Ar hynny gwthiodd Dafydd ap Gwion ei ben coch, cyrliog heibio i gornel y ffreutur.

"Dafydd ap Gwion!", meddwn, "tyrd allan o'th guddfan!"

Ond diflannodd Dafydd ar hynny gan lusgo'i goes gloff i'r llwyn o ddanadl poethion yng nghefn y lleiandy. Yn yr egwyl honno ac wrth weld wynned oedd yr eira, goched y gwaed a dued plu'r aderyn daeth i'm cof Nadolig arall chwarter canrif yn ôl. Ni bu erioed Nadolig fel y Nadolig hwnnw!

Breuddwyd o fyd! Yr oedd gwŷr Tywysog Aberffraw yn dychwelyd yn fuddugoliaethus o'r Deheubarth a gwaed y lladdedigion yng Nghydweli . . . Llansteffan . . . Narberth . . . Cilgerran. Daethai hyd yn oed Gwenwynwyn o Bowys a disgynyddion yr Arglwydd Rhys i ochri gyda'r Arglwydd Llywelyn.

Heno, yn Llan-llŷr, ni welaf ond rhimyn main ar y gorwel o oleuni rhyw ddydd yn darfod. Machludodd haul Gwynedd ers tro ac mae anniddigrwydd yn y Deheubarth. Y mae blynyddoedd fy mywyd fel gwyntyll arglwyddes llys yn fy llaw. Cofiaf mor frau y treuliodd gwyntyll sidan ambell arglwyddes yng Ngwynedd pan fyddai morwyn y llys yn feichiog gan blentyn gordderch ei harglwydd.

Sŵn cerdded Dafydd ap Gwion y pnawn yma a'm ddeffrôdd o'm breuddwydion. Yr oedd wedi blino swatio yng nghefn y ffreutur a llusgodd o'i guddfan hefo dail tafol yn wlyb gan boer yn ei law. Yr oedd cnawd ei goes yn ddolurus. Cyn hyn rhoiswn fy mryd ar ei geryddu eithr gwesgais gnawd coch ei ben ym mhlygion fy ngŵn. Y bachgen hwn o Arllechwedd Ucha yw fy ffefryn o bawb yn Llan-llŷr. Daeth yma flwyddyn a deufis yn ôl gyda'r Arglwydd Llywelyn pan gyfarfu tywysogion Cymru yn Ystrad Fflur i gydnabod yr Arglwydd Dafydd yn olynydd iddo. Ni wn pam y mynnodd yr Arglwydd Llywelyn ei roi yng ngofal lleian fel fi. Edrychais wedi hynny ar gorff pitw'r aderyn ac ym myw llygad Dafydd yn union wedi hynny.

"Dafydd," meddwn, "pam roeddet ti'n lladd y fwyalchen ?"

"Wn-es i ddim . . . y Chwaer Anna . . . ar 'y ngwir."

"Dafydd ! Pam 'r wyt ti'n deud celwydd?"

Aeth ei lygaid yn llaith ar hynny ac meddai: "Y fi oedd Tywysog Aberffraw ac Arglwydd Eryri !"

Gwn fod Dafydd yn medru darllen fy meddyliau fel darllen memrwn yn y Scriptorium. Bu'r blynyddoedd yn dirion ac yma yn Nyffryn Aeron medrais anghofio Arllechwedd Ucha'. Ond er pan ddaeth y plentyn gordderch yma i Lan-llŷr teimlaf fod terfyn fy einioes yn gwyro tua'r cychwyn.

"Dafydd," meddwn, " 'ddylaset ti ddim bod wedi lladd y fwyalchen !"

"Ond 'nelu at yr Iarll Gilbert o Aberteifi wnes i, ar 'y ngwir, am 'i fod o'n union yn llwybyr y fwyalchen."

"A phwy oedd yr Iarll Gilbert, mwyn dyn?"

"Hen gath lwyd y Chwaer Matilda."

"Ond Dafydd bach fe leddaist y fwyalchen ac y mae'r Iarll Gilbert yn dal yn fyw."

"Dyna dro garw. Mae'n ddrwg gen' i i mi ladd y fwyalchen. 'Wyddoch chi pwy oedd hi?"

"Na wn i."

"Wel . . . Maelgwyn Fychan o Fabwnion."

Chwerddais ar hynny. Sylwais fod llygad Dafydd yn ddolurus am i mi chwerthin.

"Paid â phryderu, Dafydd bach," meddwn, " 'does neb yn Nyffryn Aeron yn caru Maelgwyn Fychan."

"Pam?"

"Am 'i fod o wedi meddiannu tir Maredudd ab Owain ym Mennardd a thir y mynech yn Ystrad Meurig."

"Ga' i gladdu'r fwyalchen?" gofynnodd Dafydd toc. "Mi wnawn ni gynnal offeren iddi yn y berllan . . . Nid Maelgwyn Fychan oedd hi'n go-iawn."

Ac felly gwnaethom ryw lun o fedd i'r fwyalchen yn y berllan dan gnwd o eira.

"Tyrd, Dafydd," meddwn yn y man, "mae'r hin yn oer a sŵn terfysgoedd lawer o Wynedd i Ddeheubarth."

Aeth corff y bachgen yn gryndod dan fy llaw ac meddai :

"Beth tae'r Iarll Gilbert yn dod bob cam o Aberteifi i ddifetha Llan-llŷr a llosgi'r lleianod, y Chwaer Anna ?"

"Fe gei di yn hamddiffyn, Dafydd," meddwn, "ond digon prin y bydd i'r Norman godi allan ar yr ŵyl o gnesrwydd y castell yn Aberteifi. A pha un bynnag, Dafydd, mae tir Mabwnion ac erwe Gwinionydd ac Iscoed rhyngon-ni ac Aberteifi."

Fel yr ymlwybrai Dafydd a minnau yn ôl tua'r Clas yr oedd y Forwyn Fair yn ymdaith tua Bethlehem. Ogla camelod a stabal ac ŷch a gwellt. Gartre yn Uwch Conwy bydde'r neuadd fawr yn wresog ac ogla cig rhost yn llenwi'r awyr. Y morynion yn paratoi saws ac amheuthunion i'r wledd. Llawnder o fara cann a gwinoedd Ffrainc. Gwin Rhosiel a Gasgwyn . . . ."

"Tydw i ddim yn meddwl 'mod i'n leicio'r Tywysog Dafydd yn llys Aber," meddai Dafydd ap Gwion toc.

"Pam, Dafydd ?"

"Fydd o ddim cystal tywysog â'i dad, yr Arglwydd Llywelyn meddan nhw."

"A phwy ydi y 'nhw' sy'n deud hynny Dafydd ?"

"Gwŷr y llys ac Ednyfed Fychan yn Aber."

"Ddylaset ti ddim cario clecs y llys."

"Na ddylwn, mae'n debyg," meddai Dafydd wedyn, "ond mae pawb yn siarad."

"Tydi hynny ddim yn rhoi hawl i ti siarad, Dafydd."

"Deud y maen nhw mai hanner Norman ydi'r Tywysog Dafydd a 'does neb yn leicio'r Norman. Mae'n well gan bawb 'i frawd Gruffudd."

"O . . . pam ?"

"Am ei fod-o o waed pur Cymreig. Mae-o o waed coch cyfa."

"Ond bachgen gwyllt ydi Gruffudd."

"Mi fydde'r hen wragedd yn y gaer yn deud mai am i'w dad ei daflu o hyd i garchar yr oedd yr Arglwydd Gruffudd yn wyllt. Mi 'rydw i'n licio'r Arglwydd Gruffudd, y Chwaer Anna. 'Ydach hi'n meddwl y daw-o i lawr i Lan-llŷr ?"

"Digon prin, ac ynta yng ngharchar Dafydd."

"Tae o'n dŵad yma mi ddychrynnai'r Chwaer Maria a'r Chwaer Matilda. Mae o'n gallu rhegi a rhwygo a chwerthin a chware cnapan a gwyntyn a hela bleiddied."

" 'Does ryfedd felly dy fod mor hoff o'r Arglwydd Gruffudd."

" 'Roedd o'n deud bod digon o fleiddied yn y llys yn Aber ! Mi wydde pawb pwy oedd o'n 'i feddwl."

"Dafydd ap Gwion ! Dal dy dafod ! Mae'r coed yn medru siarad a'r murie'n plygu ac Alis, yr hanner Normanes, o'r gegin yn glustie i gyd."

Yr oeddem o fewn y porth erbyn hyn pan sibrydodd Dafydd yn fy nghlust fel na allai sgyfarnogod Esgair Saeson ei glywed :

"Ai cysgu mae'r Arglwyddes Siwan ?" gofynnodd.

"Ie, Dafydd."

"Dyna ddeudodd Mared yn llys Aber hefyd ac y bydde hi'n cysgu am byth ger y faenor yn Llan-faes.

"Pwy ydi Mared ?"

"Un o forynion y llys. Mi ddeudodd y Pencerdd fod ganddi wallt fel blode banadl yn Nhegeingl . . . Yr oedd Mared yn crio'i chalon allan pan aethon' nhw â'r Arglwyddes Siwan dros Draeth y Lafan. Feder yr Arglwyddes Siwan gysgu am byth ?"

"Efalle y meder hi."

"Mi leiciwn inne gael mynd i gysgu fel yr Arglwyddes Siwan."

"Leiciet ti ?"

"Leiciwn am fod fy nghoes i'n brifo'n ofnadwy weithie."

"Yr eira sydd wedi rhoi gwynegon yn dy goes di, Dafydd bach. Mi awn ni i'r ysbyty ymhen y rhawg i nôl cyffur i ti."

"Wnewch chi ddim 'y ngyrru i i Hafod y Cleifion at y Brodyr o Ystrad Fflur, wnewch hi ?"

"Na wnawn, Dafydd."

Ac yna meddai Dafydd wedyn :

Fe dorrodd yr Arglwydd Llywelyn 'i galon wedi i'r Arglwyddes Siwan farw. 'Roedd ei fraich o'n ddiffrwyth ac yr oedd o'n diffodd fel golau cannwyll."

"Pwy ddeudodd beth felly wrthyt-ti, Dafydd ?"

"Yr offeirad oedd yn deud wrth y plwy yn yr eglwys. Mi ddeudodd hefyd yr âi o at y myneich i Aber Conwy i farw. Dyna pam rydw inne yma hefyd."

"I beth ?"

"I farw, am fod fy nghoes i'n ddiffrwyth fel yr oedd braich yr Arglwydd Llywelyn. Fe fu farw haul Gwynedd pan fu o farw on'd do ?"

"Do, Dafydd . . . Tyrd, Dafydd, fe drown ni i'r eglwys at Fair Fendigaid. Hi bia'r nos hon."

A dyna lle buom yn penlinio gerllaw'r allor a choes ddiffrwyth Dafydd yn 'sgubo'r llwch. Ac fel hyn y gweddïem,

"*Ave Maria,*

Domine, ad adjuvandum me festina . . . "

"Mair Fendigaid,

O! Arglwydd, prysura i'm cymorth."

Ond treuliodd y nos hon ymhell. Gyda hyn fe genir y gloch i Wasanaeth y Laudes. Bydd gweddïau Cred yn ymestyn dros y 'mab bychan' o Ysgol Chartres hyd Orleans, o abatai Clairvaux hyd Cluny, o Lanllugan i Lân-llŷr. Bydd ein gweddïau dros eneidiau'r plant.

"Dros y llanc o fugail o Vendome a gredodd i Dduw ei alw i ladd y Saraseniaid . . . Dros y deng mil ar hugain o blant a'i dilynodd hyd Alexandria . . . Dros y plant o'r Almaen a groesodd yr Alpau hyd Genoa . . . Dros enaid Dafydd ap Gwion o Arllechwedd Ucha' sy'n treulio'i Nadolig olaf yn Llan-llŷr . . ."

Gŵyl y Nadolig. 1240.

Y bore'n gynnar tybiais glywed clychau Bethlehem yn y gwynt, ond nid oedd yno ond awel fain rhwng clystyrau eira ar yr ywen ym mynwent y lleiandy. Fel y trown ymysg y beddau daeth imi ryw ymdeimlad o dosturi dros ddynion. Fe ddaw'n wastad ar ddydd gŵyl.

Dyna'r Chwaer Veronica luniaidd nwydus a ddiflannodd megis plu'r gweunydd o Gors Caron. Storm mewn cnawd bregus ac yna ogla pridd, blas pridd a dyfnder oer y pridd. Ac eto yn rhywle tu hwnt i'r cymylau dros y Trichrug mi dybiaf fod nefoedd eneidiau. Arferai hen wraig yn y llys yn Arllechwedd ddweud nad oedd y marw'n siarad ond y gadewid llun a lliw. Felly y bu i fardd y llys ddisgrifio'r ddrychiolaeth a welsai rhywun wrth bont Aber am i Fronwen ifanc luchio'i chorff i'r llyn-tro. Yng ngolau'r lloer byddai deunydd sidan awyr-nos yn gloywi'i ffurf a gwneud ei gwallt fel cnu ar lyfnder ei hysgwyddau. Ond ped âi rhywun a chyffwrdd â'r llun ni byddai yno ond awyr-nos. Felly'n union y mae'r gwynt yn swatio rhag y tes ac angau rhag y byw. Heddiw fel y cerddwn rhwng y beddau meddyliwn am y chwarae mig tragwyddol sydd rhwng y byw a'r marw. Cyferchais y dyrfa fud — y meirw hynny y swatiwn ym mhlygion fy urddwisg rhagddynt — rhag canfod tân mewn cannwyll llygad, ac y ffown i'r dortur rhag wylofain yr ifanc ac i'r eglwys rhag rhaib yr hen abades.

Bûm yn cyd-fyw â chwi am chwarter canrif a mwy. Ni cherais neb ohonoch ond fe'ch hoffais. Dim ond caru ceraint a chariadon y byddwn ni. Gweddïais ar i Fair fy arbed rhag casàu neb ohonoch ond yr oedd rhai ohonoch y medrwn eu casàu. Pan ddeuthum yma o Arllechwedd y fi oedd yr unig Gymraes yn eich plith, chwi Normaniaid, ffroenuchel a balch! Beth a wyddech chwi am grefft y cyfarwydd, am gywreinrwydd cerdd dafod ac am uchelwriaeth Gymreig? Mae rhai ohonoch yn gorwedd ymhell o dir eich gwlad mewn daear estron.

Dyna Veronica y Normanes ieuanc a yrrwyd yma o Swydd Efrog gan ei thad-gwyn gyda rhyw fymryn o waddol i arbed y gost o'i magu ei hunan. Veronica efo'i chroen lliw hufen, ei dau lygad eboni a'i cheg fel aeron Awst. Bob tro y byddai'r Normanes honno o forwyn yn y gegin yn canu'r gerdd Ffrengig—'Chanson de nonne' — ffrydiai llygaid y Chwaer Veronica yn berlau.

Mariez-vous, les filles,
Avec ces bons drilles,
Et n'allez ja, les filles,
Pourrir derrier les grilles.

(Ferched ifainc, priodwch
Y cythraul cynta' y gellwch;
Rhag i chi bydru'n druain saint
Yng nghwfaint edifeirwch).

Veronica ! Yr oeddit yn rhy hardd o gorff, yn rhy nwydus i fod yn lleian.

Gerllaw'r Chwaer Veronica y gorwedd yr hen Abades. O ! felltigedig Abades !

Yn nhawelwch y côr adeg Gŵyl Ieuan Fach y dechreuodd y sibrwd.

"Mae'r Chwaer Veronica yn feichiog !"

"Y hi â'i gwefuse fel aeron aeddfed !"

"Mae fel Non fam Dewi."

"Rheitiach fai iddi fyw ar fara a dŵr."

"Ac ymbil ar Gildas Sant."

"A'r tad ?"

"Un o'r Brodyr o Ystrad Fflur."

A phob dydd Mercher a dydd Gwener am wythnosau lawer gwelwyd y ddwy chwaer a fu'n sibrwd yn y côr, mewn sachliain yn cerdded yn droednoeth ogylch y Clwysgordy. Hyn oedd eu penyd. Un ddigymrodedd ei chrefydd oedd yr hen abades, yn ddisgybl i athrawiaeth Sant Jerome.

Cofiaf y bore hwnnw y rhoes yr abades ei dedfryd ar y Chwaer Veronica yn y Clwysgordy. Yr hydref oedd hi pan oedd rhwd ar y rhedyn ac aur yn y fforestydd.

"Priodasferch Brenin Nef ydi lleian," meddai'r Abades, "y mae ei gwyryfdod yn gyfryw â phurdeb angylion."

Ond er y poenydiau ni pheidiodd y sibrydion—

"Mae'r Chwaer Veronica dan glo yn ei chell."

"Mewn sachlïan . . . ."

"Heb ddim ond bara du yn gynhaliaeth a dŵr i'w yfed."

"Sach yn obennydd."

"A gwellt yn wely."

"A gwichian llygod yn y twllwch."

"Chwip yr hen Abades !"

"O ! Fair gwared ni. O ! Arglwydd gwared ni rhag chwip yr abades !"

"Rhag cael ein llusgo i orwedd wrth fynedfa'r côr yn llwybyr y lleianod a ninne'n feichiog !"

Dim ond mân sibrwd y byddai'r lleianod ond byddai'r forwyn yn y gegin yn straella hefo'r werin ddwl am buteindra gwŷr yr Eglwys ac am wallgofrwydd y Chwaer Veronica.

"Fe ddaw ei gwallgofrwydd ag anrhydedd i'r lleiandy."

"Coel gwrach gwŷr yr Eglwys ydi hynny."

"Pe clywech ei llefain adeg offeren a gosber a'i gwaedd gefn trymedd nos."

"Fe gaiff hi burdan !"

"A nefoedd, gobeithio."

"A'r abades ?"

"Bydd yn crwydro Cred gan gusanu creirie'r saint."

"Rhag poenedigaeth uffern a'r iâ tragwyddol !"

"Ie, fe â i Gaergaint, i Gompostella, i Rufain a Chaersalem."

"I gyffwrdd â chreiriau'r Forwyn Fair."

"Olew Mair o Sardinia."

"Y blodyn a roes y Forwyn i'w Mab."

"A thiwnig yr Archesgob Tomos o Gaergaint."

"Ei lwch, cudyn o'i wallt a'r blanced oedd drosto."

"A'i grys gwlanen."

"Ha ! Ha ! Ha ! . . . a gwialen Aaron a darn o'r allor y canodd Sant Pedr Offeren wrthi !"

A'r misoedd hynny clywid llefain y Chwaer Veronica o awr Angelus hyd yr Ave hwyrol. Clywem hi wrth i ni ddringo grisiau'r dortur fel yr ymlwybrem i'r Laudes a'r Prim. Byddai'n gweddïau yn iraidd ar ein gwefusau:

"*Ave Maria . . . Gaude virgo gloriosa* . . . Fendigaid Forwyn, gorfoledd fo i ti."

"*Et pro nobis Christum exora* . . . Ymbil ar Grist drosom."

Ac yna dôi llefain y Chwaer Veronica yn llawn chwerwder tuag at wragedd ac eglwys a gwlad ei mabwysiad.

"Ave Maria . . . Mair fam Iesu, onid morwyn oeddit ti pan roddist ti dy hun i Ioseff ? Non, fam Dewi, onid morwyn oeddit ti pan y treisiwyd di ? Ti a fuost yn ymguddio o'r tu ôl i ddrws yr eglwys pan fethodd Gildas â phregethu . . . Onid poethder 'y nghnawd a'm gyrrodd yng ngwres ieuenctid i uffern fy nghosbedigeth ? Mefl ar 'y nhad-gwyn a'm gyrrodd i gaethiwed Llan-llŷr ! Mefl ar yr abades ! Mefl ar Gymru, y wlad ryfelgar a chreulon lle mae ysbïwr yn gwrando yn nhwll y clo fel y taeog gynt yng nghastell y Norman . . . Ave Maria !"

Rywdro yn y Grawys ganed ei phlentyn, sef Rhobet, y nofis ifanc o Ystrad Fflur. Bu hithau farw cyn diwedd y Grawys ac yr oedd ei marwolaeth yn annhymig fel pigiad glöyn byw ar flodyn yr eira. Clywais ddweud i fardd ifanc o lys Rhys Ieuanc o Lanbadarn-fawr ganu cerdd farwnad iddi, nid fel y canai'r pencerdd yn Arllechwedd Ucha' ond fel y cân y Trwbadwriaid. Fel y nesâi dydd ei marwolaeth ni pheidiwn â gweddio drosti weddi'r claf ar wely marwolaeth !

"Iesu, Mair a Ioseff, i chwi y rhoddaf fy nghalon a'm henaid.

"Iesu, Mair a Ioseff, cynorthwywch fi yn fy nghalon a'm henaid.

Iesu, Mair a Ioseff, bydded i mi anadlu f' enaid i'r tawelwch tragwyddol."

Clywais ei llais laweroedd o weithiau wedi hynny yng nghilfachau Llan-llŷr. Fe ddeuai weithiau ar awelon y bore o gyfeiriad Mynydd Tregaron; dro arall gyda'r nos pan fyddai lliwiau'r haul uwchben Llanddewi Aberarth. Yr oedd ar y ffin yn rhywle rhwng Purdan a'r Nef Fendigaid. Llefai fel gŵr ar awr gyffes.

"Mea culpa, mea maxima culpa."

Ac yna llenwid yr awyr â'r goleuni sanctaidd pan fo yr 'Ecclesia Triumphans', sef yr Eglwys Fuddugoliaethus, yn croesi rhiniog y Nef i wyddfod yr Oen.

Ni wn a oes sail i'r stori honno am y brawd euog hiraethus o Ystrad Fflur ai peidio. Mynnai'r Normanes fach o'r gegin iddi glywed yr hanes gan ddau o'r Conversi, sef y gwŷr o Ystrad Fflur. Ni thâl gwrando gormod ar fregliach gwerin. Clywodd y Chwaer Elinor, y Normanes yn siarad â dwy wraig o Fabwnion.

"A glywsoch chi sôn am benyd y brawd ddydd Mercher Lludw ?"

"Na, fyddwn ni'n clywed dim, y ni sydd oddi allan i Dai'r Urdd."

"Mi glywis . . . i'r abad gyhoeddi ei drosedd o flaen y plwyf ddydd Mercher Lludw ac iddo gael ei chwipio ar dri dydd gŵyl ac iddo gael ei wisgo mewn gwisg galar a cherdded yn droednoeth."

"Fel yr Abad Enoch a'r lleian o Lansantffraid-yn-Elfael!"

"Sh—! Sh—! 'Fynnem ni ddim siarad felna am wŷr yr Eglwys!"

"Na, oblegid y nhw sy'n gweddïo dros eneidie'r saint, yn rhoi bwyd o'r ffreutur a llysie'r meddyg o'r ysbyty."

Clywais wedyn i wraig o Ffair-rhos adrodd fel y gwelodd y Brawd o Ystrad Fflur yn cario cannwyll-gŵyr o flaen gorymdaith, heb ddim ond dwbled, a dillad o liain amdano a hynny ar ddydd ffair. Efallai iddo apelio i Gaergaint. Ni wn. Nid oes un awdurdod yng Nghymru y medrai apelio ato. Clywais yr Arglwydd Llywelyn yn dweud mai ofer fu cais Giraldus i roi annibyniaeth i Dyddewi. Canys caethion ydym ni.

Nofis oeddwn i pan fu farw'r Chwaer Veronica.

Heno, ugain mlynedd yn ddiweddarach, dyma fi yn Abades Llan-llŷr. Hen leiandy tlawd sydd yma. Daeth Rhobet y nofis o Ystrad Fflur ac un o'r Conversi yma yn fuan wedi canol dydd.

"Fe ddaethom â thanwydd oddi wrth yr Abad Gruffudd i chwi dros yr ŵyl," meddai Rhobet, "a dau bwys o ganhwylle ac ystrodur a mynci mawr i'w cadw yn y stable."

Holais ef am hynt y Fynachlog dros yr ŵyl ac meddai'r Conversi:

"Mae acw gig eidion a gwin Bwrgwndi a Mwsgadel . . . ."

Perthynas fach dlawd yw Llan-llŷr. Perais i'r ddau ddwyn fy nghyfarchion i'r Abad Gruffudd.

Ac wedi iddynt fynd, meddai Dafydd ap Gwion :

"Fe gawsant gig eidion a gwinoedd Ffrainc yn Ystrad Fflur."

"Sut y gwyddost ti, Dafydd?"

"Rhobet y Nofis a Phyrs y Conversi oedd yn deud."

"Ac ymhle y gwelist ti nhw ?"

"Yn y 'sgubor yn rhoi'r mynci mawr ar yr hoel . . . Mi 'rydw i am fynd at y Brodyr i Ystrad Fflur wedi i mi dyfu'n fawr."

"Ond neithiwr roedd arnat ti ofn cael dy anfon at y Brodyr i Hafod y Cleifion."

"Ie . . . ond mae nghoes i'n brifo llai heddiw, y Chwaer Anna. Mi leiciwn i fynd yno i chware cnapan a chael cyffwrdd â'r ffiol santedd. Mae Pyrs, y Conversi, wedi addo y ca' i fynd i'r mynachtai i Gwm Ystwyth a Blaen-aeron a'r Hafod-wen. Mi fydd ffair ym Mefenydd adeg Gŵyl Sant Iago ac yn Ffair-rhos, Ŵyl y Grog. Dim ond dwy hen iâr gawson-ni i ginio heddiw, ynte, y Chwaer Anna ?"

"Ie, Dafydd."

"Mae gwell bwyd yn Ystrad Fflur, meddai Rhobet y nofis."

"Leiciet ti fynd i Ystrad Fflur ?"

"Na . . . dim ond chware yr o'n i. Mae'n well gen i chware hefo Moi a Meilir a Rhonwen yng nghae'r lleiandy ac mi 'rydw i'n ych leicio chi, y Chwaer Anna a'r Chwaer Elinor ac Alis a phawb . . . pawb ond y Chwaer Matilda !"

"Pam hynny, Dafydd ?"

"Mae hi'n wastad yn gneud nade yn union fel Catrin Jac-y-gwrych yn Aber pan fyddai ei thad yn cynnig ffisig ddail iddi. Felly'n union yr oedd y Chwaer Matilda yn crio ar ôl yr hen iâr fach goch !"

"Ie, mi wn i, Dafydd. 'Ddylwn i ddim bod wedi lladd yr iâr fach goch. Y hi oedd unig gyfoeth y Chwaer Matilda."

"Crio ar ôl hen iâr!"

"Mi 'rydw i'n cofio fel ddoe pan ddaeth hi yma o Ddyfed ddwy flynedd a hanner yn ôl hefo'i photyn pres, dwy ddysgl biwtar, gefel dân a'r hen iâr goch. Heddiw mae hi wedi cadw draw o'r gwasanaethe gan esgus poen yn 'i harenne. Druan â'r Chwaer Matilda! 'Ddylwn i ddim bod wedi lladd yr iâr goch."

"Ond dim ond hen iâr oedd hi wedi'r cwbwl, y Chwaer Anna! Dim ond hen wlanen o ddyn fuase'n crio ar ôl cath yn Arllechwedd Ucha!"

"Ie, mae'n debyg, Dafydd."

"Dim ond unweth y gwnes i grio'n go iawn, y Chwaer Anna."

"A phryd oedd hynny, Dafydd?"

"Wedi i Rys bach Llain-y-grug syrthio dros y clogwyn a marw."

"Ie, fel yna y mae hi, Dafydd, crio ar ôl plentyn y bydd rhai . . . Tyrd, Dafydd. Fe ddyle Moi a Meilir fod wedi cyrraedd yr Eglwys."

"Gawn ni stori'r Geni, y Chwaer Anna?"

"Dim ond ar un amod y bydd Moi . . . ."

"Yn peidio â rhoi cacamwnci ar frest y Forwyn a gwneud cudyn clust iddi efo cŵyr y gannwyll oddi ar yr allor a . . . ."

"Dafydd ! . . . Dyna ti'n cario clecs eto !"

"Mae'n ddrwg gen i, y Chwaer Anna."

Ond heddiw yn yr Eglwys yr oedd Moi fel angel bach fel 'tae hudoliaeth yr ŵyl wedi gafael ynddo. Gwrandawai â dwy glust unionsyth fel cwningen fach ar gomin. A dyma stori'r Geni:

"Dysgai'r Ysbryd Glân y Forwyn i eneinio'r Baban â llaeth ei bronnau. Rhwymodd y Baban â'i phenwisg a'i ddodi yn y preseb. Ymestynnodd yr ŷch a'r asyn eu penne dros y preseb gan anadlu eu gwres arno gan mor oer ydoedd . . . Cymerodd Ioseff obennydd o wlân o gyfrwy'r asyn.

"Eisteddodd y Forwyn ar y gobennydd, gorffwysodd ei braich ar y cyfrwy a syllodd yn hir ar y Baban Iesu . . . Daeth angylion at y preseb i addoli'r Crist. Yr oedd bugeilied filltir i ffwrdd yn y maes. Aeth yr angylion a chyhoeddi'r newydd i'r bugeilied. Cododd yr angylion wedi hynny tua'r nefoedd dan ganu a daeth holl luoedd yr angylion a llys y nef tua'r preseb gyda llawenydd mawr a chanu mawl i'r baban . . . ."

Canasom wedyn Garol i Fair ac yr oedd llais Dafydd ap Gwion yn felys fel cân yr angylion. Dysgodd ganu wrth draed y Pencerdd yn llys Aber.

Wedi Gŵyl y Nadolig, 1240.

Y bore yn gynnar daeth y Conversi o'r Fynachlog gyda gwin a dau bwys o ganhwyllau a llonaid cert arall o danwydd. Pasiodd dau farchog hefyd. Amheuwn eu trywydd. Nid milwyr Maelgwn Fychan o Lannerch Aeron mohonynt, meddai Alis. Buont yn ymdroi'n hir o gwmpas y lleiandy gan fynnu bwyd o'r ffreutur. Mae'n bosibl mai o gastell yr Iarll Gilbert o Aberteifi y daethant. Heddiw hefyd yr oedd Alis yn cwyno rhag yr hen wraig o Ddyffryn Tanat. Cynhyrfodd yr hen wraig drwyddi, meddai, pan welodd y milwyr ac yr oedd ei bryd ar eu dilyn drwy'r eira nes i Alis ei rhwystro. Mae deufis bellach er pan ddaeth yr hen wraig yma gyda Rhonwen y ferch fud. Anodd dweud ar ba berwyl y maent

Mae wyneb yr hen wraig yn rhychau i gyd ac yn dywyll fel lliw bara rhyg, a'i llygaid yn anystwyth fel un a werthai Gymro i Norman a Norman i Gymro am saig o fwyd. Mae gwesteïon tlawd fel hyn yn pwyso'n drwm ar Lan-llŷr. Mae Rhonwen yn ferch hardd i'w rhyfeddu. Prin ei bod yn bedair-ar-ddeg oed. Gofynnodd Dafydd ap Gwion imi ai Blodeuwedd oedd o chwedl Math am iddynt rithio'r ferch decaf a welwyd erioed o flodau'r deri a blodau'r banadl a blodau'r erwain.

"Beth pe bai'n troi'n ddylluan ?" gofynnodd Dafydd wedyn.

Bu'n chwarae cîs â hi drwy gydol y bore gan lusgo'i goes gloff ar ei hôl. Potran ogylch y gegin y bydd yr hen wraig ond ni fynn Alis iddi drin bwydydd gan fod ganddi ddwylo blewog. Mae deunydd bwyd yn ddigon prin fel y mae. Glanhau'r llorie pridd ag ysgub y bydd gan mwyaf a'u huddo â gwellt glân.

Mentrais ofyn iddi y dydd o'r blaen i ble'r oedd eu trywydd.

" 'Ryden-ni ar daith i Dyddewi," meddai.

"Ond prin y bydd neb yn mentro hyd ffyrdd y pererinion hyd y Mis Bach."

"Fe fynna i iachâd i Rhonwen."

"Ond gallech fod wedi aros heb groesi Powys hyd yr haf. Pam na fyddech yn mynd i Enlli neu at eglwys Derfel Sant yn Edeirnion ?"

" 'D oes dim trugaredd yn Swnt Enlli a ffieiddbeth ydi delw Derfel Sant yn Edeirnion."

"Ond mae'r daith yr un mor anhygyrch i Dyddewi. Beth am rin Ffynnon Wenffrewi neu Ffynnon Fair yn Llŷn ?"

Edrychodd arnaf o dan ei chuwch ar hynny:

"Beth a wyddoch chi am Ffynnon Fair yn Llŷn ?"

"Dim ond clywed y gwesteion yn y llys yn Arllechwedd Ucha' yn sôn am Ffyrdd y Pererinion a Chlynnog Fawr yn Arfon."

Edrychodd yn dreiddgarach arnaf. Yna gwelwodd ei hwyneb a diflannodd i'r ffreutur fel pe bai cŵn y pencynydd wrth ei sodlau. Byddaf yn dychmygu llawer beth sydd ynghudd ym mhlygion llwydlas ei sgert lac.

Heno nid oedd yng ngwasanaeth y Gosber na'r Cwmplin.

Mae rhyw drafferthion parhaus yma. Neithiwr yn y dortur, yn union wedi gosber cydiodd twymyn llosg yn y Chwaer Marïa. Rhaid i mi alw yn yr ysbyty i'w gweld cyn noswylio.

Gynnau hefyd yr oedd Alis yn cwyno rhag diflastod y bwyd. Deuthum o hyd i femrwn wedi i ryw chwaer ei ddwyn yma o Sir Efrog flynyddoedd yn ôl. Mae ynddo gyfarwyddyd sut i wneud 'fritters.' Fe'i darllenaf i Alis yn y bore os gallaf wneud pen a rhych ohono. Bydd Alis wrth ei bodd yn coginio rhywbeth newydd. Dyma fel mae'r memrwn yn darllen :

> "Take white of eyren (ŵy); milk with fine floure and bete hit togidre and draw hit thorgh a streynour, so thah hit be rennyng and noght stiff, and caste there-to sugar and salt. Then take a chaffur ful of fressh grece boyling and then put thi honde in the batur and lete the batur ren throgh thi fingers into the chaffur . . ."

Cwyno yr oedd y Chwaer Ada hefyd rhag Dafydd ap Gwion yn y clwysgordy y bore yma ond ni fynn yr un o'r chwiorydd eraill ei gosbi. Bydd Dafydd yn efelychu ystumiau'r chwiorydd bryd bwyd — yn chwifio'i ddwylo ar lun cynffon pysgodyn wrth geisio penwaig, yn cymryd arno odro â'i law chwith i gael llefrith ac yn rhwbio'i drwyn pan fydd yn ceisio mwstard. Ni chaniateir i ni'r lleianod siarad ar bryd bwyd. Serch hynny gwelais y Chwaer Elinor yn mygu gwên fwy nag unwaith yn y ffreutur yn ddiweddar. Cwynodd y Chwaer Ada hefyd iddo droi cannwyllgŵyr ar ben un o'r plwyf ar adeg gosber. Ond nid yw Dafydd yn hidio dim. Clywais ef a Moi a Meilir yn canu carol y Nadolig ogylch y clas droeon yn ddiweddar :

"Veante mis ojos
Dulce Jesus bueno,
Veante mis ojos
Y muerame yo luego."

(Boed im llygaid dy ddarganfod,
Ti y pur a'r tyner Grist ;
Boed im llygaid dy ddarganfod,
Cyn dod awr marwolaeth drist.).

Heno y mae'r hin yn oer a gwynt rhew yn ysgythru dros Fanc y Gilfach Frân.

Noswyl Gŵyl Fair y Canhwyllau, 1241.

Daeth y flwyddyn newydd a'i helbulon. Y bore fel y cerddem i lawr o'r dortur i wasanaeth y prim treiddiai'r oerni hyd at fêr yr esgyrn. Ond mae dyn yn dygymod ag oerni. Cawsom dafell o fara a gwin cynnes cyn troi at allor Fair drachefn. Ni bu hamdden nac awydd i roi gair ar femrwn ers tro byd. O drugaredd does neb ar fin marw yn llusgo byw yma. Oherwydd y bywyd caled a'r prinder bwyd a'r oerni, unwaith y daw haint fe dery'n ddi-drugaredd. Nid rhywbeth i'w ofni ond i'w anwesu yw marwolaeth i'r rhan fwyaf ohonom. Nid oes i ni anwyliaid fel i'r plwyf.

Bu tlodi'r lle yma yn fwrn ar f' ysbryd Oherwydd neilltuedd Llan-llŷr ychydig o'r gwŷr mawr sy'n anfon eu merched yma. Fe'u denir gan leiandai fel Clerkenwell yn Swydd Middlesex a Barking yn Swydd Essex. Gwehilion ein hurdd a ddaw i Lan-llŷr. Rhaib yr hen abades a ddug y tlodi hwn.

Bu farw y Chwaer Marïa yn ddisymwth ar drothwy'r flwyddyn newydd. Y hi oedd y fwyaf diwylliedig ohonom. Gallai ddarllen Lladin yn rhwydd a'r Ffrangeg. Daethai yma ymhell yn ôl o Went-is-coed yn nyddiau

Hywel ab Iorwerth o Gaerllïon. Hannoedd o deulu Normanaidd. Nodweddid ei hiaith a'i hymddygiad gan foesgarwch a boneddigeiddrwydd y llys. Y hi a ddug y cwpan Cymun, sydd yn yr Eglwys, o Went-is-coed. Mae arni groes arian a llun o'r Forwyn Fair ac Ioan Apostol. Yn ystod ei thwymyn olaf yn yr ysbyty mynnai i ni ddwyn y cwpan o'r Eglwys. Wedi i'r Chwaer Elinor ei chyrchu anwylodd hi ac meddai yng ngeiriau'r offeren:

"*Introibo ad altare Dei* . . . (Af at allor Duw). Mynnai wedyn ffoi allan o'r clas i hel dail wermod a berw-dŵr. Yna rhoddai'r Chwaer Elinor liain o drwyth y finag ar ei gweflau a'i thalcen. Codai wedyn ar ei heistedd a gwrando:

"Glywch-chi hi ? Mae'n dod . . . cuddiwch yng nghysgod y colofne. Mae tap-tap ei sandale ar rodfa'r Garth. Ei hwyneb fel eirinen sur . . . ."

Yr hen abades sydd yna ac mae rhywun yn yn sibrwd. Ie, y Chwiorydd sydd yn sibrwd !

'Pwy sy'n gwahardd pysgod i ni ddydd Gwener yn y ffreutur ?'

'Pwy sy'n gwahardd y gwin ar ddydd Iau Cablyd ?'

‘Pwy sy’n cadw chwecheinioge’r lleianod ar noswyl Gŵyl Sant Martin ac yn gwerthu coed Llan-llŷr? ’

‘Pwy sy’n gyfrifol bod y chwiorydd yn garpiog ac fel ieir yn pigo’n y pridd ac yn gwrthod pwrcasu canhwylle at allor y Pasg?”

Crwydrai ei meddwl wedyn at y Chwaer Veronica.

“Y Chwaer Veronica ifanc! Clywsom ei llefain gefn nos. Fe’i clywswn drachefn wrth i mi gyrchu dŵr o’r ffynnon ac wrth y felin falu ac yng nghysgod iorwg y tŵr . . . Ond ni fynnai’r hen abades ei chlywed. Y hi a’i lladdodd! ‘Ie, hi a’i lladdodd,’ meddai’r pysgod o’r pysgodlyn, y ffynnon yn y garth a’r gloch yn y Sacristi. O, ie, y hi a’i lladdodd.”

Pan fu farw’r Chwaer Marïa aeth peth o urddas Llan-llŷr i’w chanlyn. Mae Dafydd ap Gwion hefyd yn yr ysbyty ers dyddiau lawer a’r boen yn dwysàu. Yno y bydd y Chwaer Elinor yn treulio oriau’r dydd a’r nos. Cefais femrwn o Ystrad Fflur oddi wrth yr Abad Gruffudd o chwedlau Marie de France i’w darllen i Ddafydd yn yr ysbyty. Mae’r chwedlau ar ffurf cerdd. Cerddi o

Chwedlau Aesop a Phurdan Sant Padrig ydynt. Copïwyd hwy'n gywrain gan y Brawd Ieuan yn y Scriptorium.

Clywais heddiw drwy'r hebogydd o Lannerch Aeron iddynt gael corff yr hen wraig wedi dechrau dadmer yn yr eira ar ôl yr heth hir. Yr oedd yn rhywle yng nghyffiniau afon Teifi yng ngwaelodion cwmwd Iscoed. Yr oedd y brain ac adar ysglyfaeth wedi tynnu'i llygaid o'i phen a phob cerpyn a memrwn a allai fod arni wedi diflannu. Gwelodd rhywun hi'n dianc o Lan-llŷr tua Chiliau Aeron gyda thoriad y wawr un bore, drannoeth y bu i'r ddau filwr Normanaidd hynny ymweld â Llan-llŷr yn fuan wedi Gŵyl y Nadolig. Gofynnais i Dudur yr hebogydd a wyddai pwy ydoedd.

"Na . . . ond fe dybia'r Arglwydd Maelgwn Fychan mai sbïwraig oedd rhwng arglwyddi Normanaidd y Gororau a'r Iarll Gilbert o Aberteifi. Mae sôn y bydd y Brenin Harri a'i fyddin yn ymosod ar Gymru pan ddaw'r ha."

"Ac os bydd ha sych bydd yr Arglwydd Dafydd yn colli'r dydd. Gall y Saeson rydio Afon Clwyd yn Rhuddlan a chroesi'r Morfa hyd Ddegannwy."

Ond nid oes yr un teyrngarwch at deulu brenhinol Gwynedd yn Nyffryn Aeron ag a wybûm i, ac meddai'r hebogydd :

" 'D oes gan John Lestrange, Ustus Caer, yr un dafn o gariad at yr Arglwydd Dafydd o lys Aber a bydd y gwŷr a amddifadwyd o'u tiroedd ganddo yn lluchio'r tanwydd pan gynheuir y fflam. Dim ond aros eu hamser y mae Roger Montalt o'r Wyddgrug a Gruffudd ap Gwenwynwyn o Bowys."

Gwn innau'n rhy dda fod gwraig Gruffudd ap Gwenwynwyn yn ferch i John Lestrange, Ustus Caer. Byddai'r esgus lleiaf yn peri i Faelgwn Fychan o Fabwnion hefyd godi yn erbyn yr Arglwydd Dafydd ! Mae'r ferch fud, Rhonwen, yma o hyd yn Llan-llŷr. Bydd yn trwsio gwisgoedd y chwiorydd ac yn helpu Alis yn y gegin, ond ni wn am ba hyd y cedwir hi yma. 'D oedd ryfedd yn y byd i'r hen wraig ddewis dod â merch fud i'w chanlyn ar esgus eu bod yn teithio i Dyddewi ! Pe câi Rhonwen nodded yn Llanllugan byddai'n nes at bobl ei gwlad ei hun. Ond byd creulon yw hwn. 'Sgwn i beth wnaeth i hen wraig o Ddyffryn Tanat droi'n ysbïwraig dros y Norman a marw'n ysglyfaeth i'r adar yn Nyffryn Teifi ? Hwyrach i'w meibion gael eu lladd yn un o frwydrau'r Arglwydd Llewelyn. Ni wn.

Trannoeth Gŵyl Fair y Canhwyllau, 1241.

Heddiw galwodd yr Abad Gruffudd a dau o'r brodyr ar daith o Dyddewi. Bu'r Brodyr yn archwilio'r ysguboriau a'r ardd a'r berllan. Cefais groesawu'r Abad Gruffudd yn f'ystafell. Rhoddir i abades ffafrau nas rhoddir i'r chwiorydd. Mae gennyf ddwy gadair a bwrdd a chwpwrdd palis cerfiedig. Hefyd gwrlid gwely o waith brodwaith o lys Aber a chist fechan dderw ac ynddi liain main o waith cywrain a chroes a gefais gan yr offeiriad yn Arllechwedd Ucha. Gallaf feddwl bod llygaid a chlustiau'r Chwiorydd i gyd ar ddi-hun pan drafodwn faterion y lleiandy gyda'r Abad Gruffudd ac ni allaf eu beio. Y Chwaer Ada yw'r unig un a allai godi gwrychyn y gweddill. Gallaf ddychmygu eu sgwrs.

"Mae'r Abad Gruffudd yn 'stafell yr abades !"

"Ydi, ac mae'r Abad yn chwerthin . . . a'r abades ?"

"Ond, nid gwiw i ni."

"Na, nid gwiw i ni chwerthin. Y hi fydd yn sbecian yn y dortur. . . . yn gwahardd ymwelwyr i'r Domicilia . . . yn gwahardd llythyre ."

Ac yna fe ddaw'r Chwaer Elinor dirion o rywle a dweud:

"Ond, pam y bydd yr abades yn gwahardd? Onid am i rywun ddwyn cusan neu ddianc i'r maes adeg y cynhaea neu lechu yn y sgubor neu ddwyn pennog adeg y Grawys a chaws ac ymenyn yr ha ?"

Tae waeth, iechyd i enaid oedd cael sgwrs â'r Abad Gruffudd. Cwynai'r Abad rhag yr heth hir a'r llwybrau anhygyrch a fu'n lluddias y teithio arferol rhwng y mynachtai. Ni welwyd mo'r Conversi o Gwm Ystwyth na'r Hafod-wen am wythnosau bwygilydd ac yr oedd yr ymborth yn brin. Anodd hefyd a fu casglu'r degwm o Langurig a Phencarreg. Ond wedi gaeaf caled bydd gobaith am wenith a cheirch yn y Morfa-mawr a'r Morfa Bychan. Cyflwynodd femrwn i Lan-llŷr, a hwnnw wedi'i gopïo yn y Scriptorium yn Ystrad Fflur, o daith Giraldus drwy Gymru. Ysgrifennwyd ef mewn Lladin a digon prin y bydd i neb ohonom ei ddarllen. Pe bai'r Chwaer Marïa yn fyw, byddai wedi troi'r dalennau'n awchus.

Telais a ganlyn i'r Abad Gruffudd:

Am benwisg, 20c.
Am fantell, 10s.
Am frethyn i wneud tiwnig gwyn, 10s.
Am wrthliain gwyn i'r fantell, 16s.
Am frychan gwely, 2s.

Bydd yr Abad Gruffudd yn cychwyn ar daith i Citeaux i gynhadledd yr Abadau cyn y Sulgwyn ond addawodd ddod i Lan-llŷr cyn hynny. Wedi iddo fynd byddaf yn cyfrif y dyddiau nes iddo ddychwelyd. Cenfigennaf wrtho yn cael rhodio daear Ffrainc. Yno mae rhin y weledigaeth gyntaf a'i gwefr yn gyrru ias drwy'r gwaed. Yma y caed diwygiadau Bernard a chyfansoddiadau newyddion Urdd y Sistersiaid, sef y 'Carta Caritatis' a'r 'Consuetudines'. Bydd yr Abadau yn talu gwrogaeth i Abad Citeaux, y 'Pater Universalis Ordinis', chwedl yr Abad Gruffudd.

Prin fu fy mhererindodau i. Caraswn fod wedi rhoi tro i Abaty Cwm-hir ar lannau Clywedog. Mae'r fynachlog yn gorwedd mewn rhyw bowlen o fynydd a sŵn defaid hyd y llethrau yno. Bûm unwaith yn Aber Conwy ac yn hen Fynachlog y Rhedynnog

Felen o lys Aber. Byddwn yn ceisio patrymu'r gymdeithas fechan yn Llan-llŷr ar y patrwm delfrydol. Ond adar brith ydym, yn amrywiol ein cefndir cymdeithasol a'n profiadau ysbrydol.

Mae rhyw fân broblemau yn codi'u pennau o hyd. Y bore yma yn y Clwysgordy cwynai'r Chwaer Ada rhag y ddwy chwaer a fu'n sibrwd yn y côr adeg gwasanaeth y plwyf. Trwy drugaredd ni fedrwn ddarllen dim o'r arteithiau mud a welid ar wynebau, yn nyddiau poenydiau yr hen Abades. Fynnwn i ddim gweld chwaer yn darnio'i phenwisg ac yn llusgo mewn sachlïain hyd y coridorau. Mair a'm gwaredo rhag hynny!

Y Grawys, 1241

Daeth llymder y Grawys. Fe'i hofnaf yn fwy na dim pan fydd prinder cynhaliaeth yn gwanhau'r corff. Yn ei sgîl daw llesgedd ysbryd a chyda Mawrth yn lladd daw Ebrill i flingo. Fe'i gwelaf yn fwy na dim yn yr hen. Gwelais ef llynedd pan oedd corff y Chwaer Marïa yn dechrau gwegian. Canodd rhyw hen fardd i erwindeb Ebrill ymhell yn ôl:

Pob peth a ddaw trwy'r ddaear,
Ond y marw mawr ei garchar.

Yn nhymor gwendid corff a llesgedd ysbryd bydd y ffin yn deneuach rhwng y byw a'r marw, rhwng y byd materol a'r byd ysbrydol. Ac yna daw hen ofnau i ordôi'r galon a bydd rhyw brudd-der yn y blodau cennin na welsant erioed yr haf, dim ond ysgytwad y gwynt. Weithiau bydd rhyw ddoe pell yn llawn o ambell eiliad gynnes, wlanog—sŵn plant yn chwarae ar y gaer; Pen yr Olau Wen dan hugan eira a llwydni'r awyr yn frau fel hen sidan. Rhywun yn llosgi grug llynedd ar y ffriddoedd. Y clas ym Mhenmon ym meudwyaeth môr. Sŵn corn y pencynydd. Mam Iestyn Ddwl yn galw arno i ffoi rhag rhuthr y meirch a phawb arall yn meddwl mai gwell fai iddo farw. Darllen wedyn yn llygad llanc am Dir Na N'og y Gwyddyl, yr ieuenctid nad yw'n darfod. Ond er mai prin yw parhâd yr eiliadau pell hynny, fe erys eu cynhesrwydd fel pe na bai doe ond heddiw.

Dyna braf fyddai hi pe na ranesid oes dyn yn ddyddiau a misoedd a blynyddoedd. Pe na byddai dyn onid amser heb fesur arno, pan na ddeuai diwedd y dechrau a dechrau'r diwedd byddai'n fendigedig o beth. Rhyw ddiwrnod efallai fe ddywedai rhywun, o weld y pen yn wyn fel trwch eira:

"A blode henaint o'r diwedd. Onid ydi henaint yn hardd ?"

Ni'm rhestrir i byth ymysg y seintiau ond efallai y galwai rhywun fi'n ddewr. Ers talwm yn ieuenctid bywyd yr oedd marwolaeth ar ryw orwel pell. Byw oedd yn bwysig.

Ac yna'n ddisymwth daeth y tywyllwch. Ac yr oedd lleisiau yn y tywyllwch.

"Wyt ti'n cofio Peredur yn dwyn cusan gen' ti yn y gaer a thithe'n cochi at dy glustie a'th wyneb yn goch fel afal Awst ? Byddet yn ei osgoi bob munud, yn cuddio o'r tu ôl i wallt llaes Mererid ferch Ifan a honno'n cael y gusan yn dy le. Wedyn byddit yn difaru oblegid roeddit ti'n sâl eisio cusan Peredur. Rhyw ddiwrnod fe'i cefist ac wedyn roeddit yn chwerthin yn barhaus . . . Ond bydde'r Arglwydd Llywelyn yn gorchymyn i Beredur fynd i ryfel dros Wynedd. Yr oedd Peredur ym Mhowys pan syrthiodd Gwenwynwyn. 'Roeddit ti'n falch, on'd oeddit ti, pan ddaeth cwymp Powys ?"

Oeddwn, a dyna rialtwch oedd yn y gaer pan ddychwelodd y llu milwyr i Arllechwedd Ucha. Yn fuan wedyn bu farw'r Brenin John ac yr oedd un o fewn y llys yn rhyw lun o alaru ar ei ôl. Yr Arglwyddes Siwan oedd honno. Pan beidiodd yr arglwyddes â galaru, cawn gribo'i gwallt yn yr haul yng ngardd y gaer a hwnnw'n gwreichioni dan fy llaw fel sidan o'i fynych gribo. Unwaith eto daeth yr hen chwerthin yn ôl i'r llys a doedd dim galw ar Beredur i fynd i ryfel. Treuliai'r gosgorddlu eu hamser yn gwag swmera a chwedleua ogylch y llys neu'n dilyn y pencynydd a'r hebogydd i'r fforestydd. Clywid sibrwd hen sibrydion caru yng nghlust y cyfarwydd. Siarad straes y byddai pawb yn y llys. Ac meddai'r arglwyddes ryw ddiwrnod pan gribwn ei gwallt :

"Mi glywis sôn Anna . . . a'r llanc ? Pwy ydi-o ?"

Yna gwenodd.

" 'D oes neb, f'arglwyddes."

"O, oes. Mae'r llygaid yn siarad Anna a'r gwrid yn y boche a thro yn y wefus."

"Yn barod i gusan, arglwyddes," llefodd un o'r morynion.

"Ie, yn gynnes, felys, foethus," meddai'r cwbl a'u llygaid yn dawnsio.

Dyna braf oedd hi yn y llys y dyddiau hynny. Dychwelai Peredur a'r milwyr ar eu meirch o Is-Conwy drwy Fwlch Sychnant ac yna byddai gwledd. Aroglau cawl, cig oen a saws yn llenwi'r neuadd. Bara cann a gwin-oedd Ffrainc. Yr Arglwydd Llywelyn yn eistedd gerllaw'r sgrin a chydag ef Ednyfed Fychan y Canghellor a'r Tywysog Dafydd. Yna'r prif westywr a'r hebogydd. A thrwy gydol y gwanwyn hwnnw bu chwerthin yn y llys.

Yna rhyw ddiwrnod daeth negesydd ar frys tua'r gaer. Yr oedd Reginald de Breos, wedi croesi corsydd Tregaron ac yn ymosod ar Lanfair-ym-muellt. Cyn diwedd Mehefin, 1217, yr oedd blodau marchogion Arllech-wedd Ucha gyda byddin yr Arglwydd Llywelyn yn ymdaith i lawr i Frycheiniog, dros y Mynydd-du ac i Gefn Cynfarchan gerllaw y Tŷ-gwyn-ar-dâf a thuag Afon Cleddau. Ni ddaeth Peredur yn ôl o'r frwydr honno.

"Cariad Anna," meddai rhywun, "mae o wedi marw. Dwedwch chi wrthi!"

Ond ni feiddiai neb ac wedyn fe redodd glaslanc nad oedd wedi gorffen tyfu. Rhyth-odd yn fy wyneb a llefodd :

"Mae Peredur wedi'i ladd ! Mae Peredur wedi'i ladd !"

A thybiech mai ei eiddo ef oedd Peredur.

"Peredur wedi'i ladd ! Peredur wedi'i ladd," meddwn.

Ac am fisoedd lawer byddwn yn siarad hefo pawb heb siarad hefo neb. Aethai'r môr yn ddu ac nid oedd Ynys Môn o ben y gaer ond megis anghenfil yn symud ar wyneb y dyfroedd.

"I ble'r est ti, Peredur ? Ddôi di ddim yn ôl, meddan nhw ! Mae'r haul yn machlud tua'r gorllewin. Fe ddaw'r haul yn ôl ond ddôi di ddim !"

"Fe aeth Peredur at Fair," meddai'r offeiriad.

"At Fair butain !" meddwn o dan fy anadl.

"At Dduw." medd rhywun.

"Duw ddiawl !" meddwn.

"Pe medrai gysgu . . . ."

"Fynna' i ddim cysgu rhag i mi ddeffro."

"Mae Anna allan o'i phwyll !"

Ac yna gweddïwn :

"O ! Dduw gwna i mi fynd o fy mhwyll. Os

oes nefoedd drysa fy synhwyre a gad i mi farw."

"Rhowch ddiod iddi."

" 'Doedd dim eisie diod arna' i. Eisie Peredur sydd arna' i."

Ac yna fe ddôi hen wraig o rywle. Fe ddôi'n gyson.

"Ymbwylla, Anna. 'Fuost ti rioed y ffordd yma o'r blaen, ond mi fu rhywun o dy flaen di."

"Do," meddai gwragedd y gaer, "fe gollodd yr hen wraig ei meibion i gyd yn y rhyfel — Rhygyfarch yn Aber Conwy yn y frwydr y canodd Prydydd y Moch iddi; Rhodri yn Painscastle a Maredudd yn yr Wyddgrug . . . "

"A'r cwbl er gogoniant yr Arglwydd Llywelyn !"

"A gogoniant Gwynedd a gwlad Gruffudd ap Cynan !"

"Ewch at ych gwŷr a'ch plant a gweddïwch ar Dduw rhag i haint rhyfel ych taro chithe."

Ac felly yr oeddwn yn bod mewn byd lle nad oedd byw na marw, yn llonyddwch maith y llwydni. Pan edrychwn tuag at Iwerddon nid oedd y môr yn llyfn na chrych. Nid oedd yno nac ewyn na gwylanod, na chregin na gwymon. Dim byd. Rhyfedd o fôr oedd hwnnw.

"Tyrd, O! wynt! a chwipia. Chwipia gefn traed gwylanod a chymysga'r gwmon ag ewyn y môr."

Deuai imi'r meddyliau rhyfeddaf erioed o'r llwydni llonydd hwnnw. Meddyliwn weithiau mor braf fai bod yn hen gi mawr blewog yn sengi ar bob baw ac yn snwffian yr awyr a mynd i'w ffordd yn ddihidio. Dro arall teimlwn fel cawr neu fel arwr a ddaethai adref o'r rhyfel. Torrwn yn fy hanner a chyfanwn wedyn.

Rhyw fin nos ysgubodd aderyn drwy'r awyr a'i grawcian yn gras fel aderyn ysglyfaeth.

"Beth gest ti i ginio rhen dderyn?" gofynnais, "gest ti glun Peredur? Gest ti ei glustie a'i lygaid o a'i ruddie-o? Oeddan nhw'n dda, yr hen dderyn? . . . Ond chest ti mo'i gusan o yn naddo! Fuost ti ddim yn yfed o ffynhonne'i lygaid o? Sibrydodd o mo d' enw di. Dal di i grawcian. Mae pobol y gaer yn meddwl bod Duw yn y nefoedd ond does yr un Duw, rhen dderyn. Twyll ydi geirie'r offeiried. 'D oes dim uffern 'chwaith.

Ni alle un uffern fod yn waeth na hon. Siaradwch wrtha i, chi ysbrydion y tywyllwch ! Murmurwch wrtha i yn nhrymder nos, canys claf yw f'ysbryd."

Ac felly y bûm am flwyddyn gron yn bwyta a chysgu heb deimlo blinder corff. Weithiau dôi'r Arglwydd Llywelyn heibio o rywle. Dôi yn wastad heb i mi ei geisio. O'i fynych weld deuthum i ddygymod â'r ffaith nad ef, ond ei ddelfryd, a laddodd Beredur.

Cydiodd yn fy ngwallt ar ben y twtil ryw ddiwrnod :

"Dyw bywyd ddim yn hawdd, Anna, ond i'r diog a'r cynllwyngar a'r ffôl."

"Ac mae pob delfryd yn costio," meddwn.

"Ydi, Anna. A dydi pob delfryd ddim yn bur. Dyw delfryd arglwydd gwlad dros genedl ddim yn bur. Mae'n rhaid iddo gynllwyn, ymostwng a ffugio i werin. Weithie mae'n priodi'i blant ag estronied ac yn aberthu blode marchogion fel Peredur ac yn cuddio'r gwirionedd. Y weledigaeth gynta sy'n bur. Gall dyn anghofio gwae cenedl pan fo'n dawnsio i sŵn telyn neu'n gwrando chwedle'r cyfarwydd neu ar wely serch ac ar awr offeren."

"Ond beth am ddelfryd yr offeiriad ? On'd ydi honno'n bur ?"

"Na, Anna. Ystumio'r gwirionedd y mae hwnnw."

"Ac felly tydi'r offeiried ddim yn arwr 'chwaith."

"Nac ydi, Anna . . . Ti ydi'r unig arwr !"

"Y fi ?"

"Ie, achos wna dy ddelfryd di byth bylu. Fe erys y Peredur dihalog hwnnw yng ngwefr gynta'r creu yn dy serch. 'R wyt ti'n arwres, Anna. Pe baet ti fachgen, fe wnaet fardd neu gyfarwydd neu hwyrach wladweinydd."

"O, yr Arglwydd Llewelyn, bydde hynny mor amhosibl ag yw i'r frân ddwyn nyth y gog oddi arni hi!"

Ond llwyddai'r Arglwydd Llywelyn yn wastad rywfodd i'm cael i wenu ac yna byddai morynion y llys yn edliw.

"Welwch chi fel mae'r arglwydd yn tynnu yng ngwallt Anna !"

"Y ferch strywgar â hi !"

"Mae o wedi blino ar yr arglwyddes Normanaidd !!"

"Fe fyn gusan gan Anna."

"Ac yna ei threisio !"

"Ac wedyn fe ddaw gwrid yn ôl i'w boche."

"Bydd chwerthin yn y llys."

"Chwaneg o blant gordderch yn y llys !"

"Ei alw'n Beredur os bydd e'n fachgen."

"Ha ! Ha ! Ha !"

"Beth pe tae hi'n weddw a chanddi bump o blant fel Siani Bwlch-yr-arian ? Beth tae hi'n ddall fel Huwco'r Wedd wedi i'r drain fynd yn ffordd yr ŷch? Beth tae ôl y Frech Wen arni hi . . . ?"

Ond dyna gloch y Laudes. Treuliodd y nos ymhell yma yn Llan-llŷr. Mae'n rhyfedd meddwl bod agos i chwarter canrif er dyddiau'r gofid yn Arllechwedd Ucha. Ni all fy meddwl orffwyso heb imi gael ysgrifennu hanes y dyddiau olaf hynny yn fy memrwn ac fe wnaf cyn diwedd y Grawys.

Canol y Grawys, 1241.

Annwyd, gwynegon a phoen yn yr arennau. Maent yma i gyd yn Llan-llŷr y dyddiau hyn.

Mae'n rhyfedd fel y treiglodd fy meddwl yn ôl gymaint i Arllechwedd Ucha yn ddiweddar. Tymor y Grawys ydyw pan fo min ar y meddwl. Gwelaf arwyddion dirywiad ar Ddafydd ap Gwion. Mae yn yr ysbyty o dan ofal y Chwaer Elinor. 'R ydym wedi hen arfer â marwolaeth yma ond mae marwolaeth plentyn yn wahanol. Heno fföaf yn ôl cyn cloi'r hen freuddwydion am byth, i lys Aber. Dyfodiad Dafydd ap Gwion a agorodd gil y drws a phan fydd o wedi mynd fe'i clöaf drachefn.

Sôn am Siani Bwlch-yr-arian yr oeddwn efo'i phum plentyn. Ymdröai ogylch y gaer yn y dyddiau hynny yn begera.

Ei bronnau'n noethion a phlentyn sugno cnawdol braf yn eu byseddu. A dyna lle byddai Siani yn siarad â hi ei hun ac â'r plentyn:

"Yr Arglwydd Llywelyn aeth â dy dad i ryfel, ond mae dy dad yn arwr! Nid pawb sy'n cael tad sy'n arwr . . . Rhyw ddiwrnod falle fe fyddi dithe'n ymladd dros Wynedd ym myddin y Tywysog Dafydd ac fe fydd pobol y gaer yn deud: 'Mae mab Siani Bwlch-yr-arian yn arwr fel 'i dad!' "

Wedyn byddai Siani yn afradu'i chusanau ar y plentyn a hwnnw'n grwnian yn fwythus. Gwnâi hynny fi'n fil gwaeth. Ffown i gysgod craig lle na chlywai neb fy llefain. Yno clywn y gwynt yn llafar-ganu yn rhisgl y pren. Y dderwen, meddai'r beirdd, yw cadernid Gwynedd. Yn ei changhennau preiffion a dirifedi rif ei dail y mae rhuddin uchelwriaeth a lletygarwch yr hen bendefigaeth. Mae parhâd i draddodiad, ond rywdro, rywsut, bydd farw'r dderwen hefyd. Oblegid y mae popeth byw yn darfod.

A'r adegau hynny deuai niwl am nosau hir f'ymennydd. Dim ond yr affwys mawr a wyddai fy mhoen. Yr oeddwn i'n aberth i gwynfan tylluanod a thywyll nosau'r beddau. Ac felly y byddwn yn hir bendroni uwchben bywyd a marwolaeth. Paham yr oedd yr offeiriad yn brygowtha am nefoedd a byd enaid ? Rhywbeth i'r byw hoelio'i ddychymyg arno oedd nefoedd am ei fod o'n cael blas ar fyw. Neu efallai ei fod o'n casàu byw a am hawlio nefoedd wedi iddo farw. Ni fynnwn fod fel yr un o'r rhai hyn. Am y galarus, rheffyn yw bywyd tragwyddol i glymu'i obaith wrtho. Sut y medrai enaid weld a chlywed heb iddo na llygad na chlust ?

Penderfynais o'r diwedd na allwn dyngu yn erbyn Duw mwyach os nad oedd Duw yn bod. Collaswn flas ar ei geryddu. Ac yna pan na allwn weld wyneb Duw na chanfod ystyr i fywyd, daeth yr Arglwydd Llywelyn heibio i mi ryw ddiwrnod pan oeddwn yn gwnïo brodwaith heb unrhyw batrwm iddo.

"Croeso'n ôl o'r Deheubarth, yr Arglwydd Llywelyn," meddwn.

"Mae hon yn awr fawr i Wynedd, Anna," meddai yntau.

'Cawsoch ffafr y Brenin Harri ?"

"Do, Anna, a gwnes gytundeb heddwch â'r Iarll Ranulf o Gaer."

"A'r Deuheubarth ?"

"Mae cestyll Aberteifi a Chaerfyrddin a thiroedd yr hen lwynog Gwenwynwyn o Bowys o dan awdurdod Arglwydd Eryri a Thywysog Aberffraw !"

"Dyna deitl da yw hwnna — Arglwydd Eryri a Thywysog Aberffraw !"

"Ie, ond yn sgîl llwyddiant fe ddaw cyfrifoldeb at wlad a cheraint . . . peth annhymig oedd marwoleth Peredur, Anna."

"Ie, mi wn."

"Bûm yn Nhŷ'r Sistersiaid yn Ystrad Fflur a chefais air â'r Abad . . . Mae yna leiandy yn perthyn i'r Fynachlog."

"Oes, mi wn . . . Llan-llŷr."

"Sut y gwyddet ti, Anna?"

"Bu yma ambell werthwr gwlân o gyffinie Llanddewi-Aberarth, a phorthmyn a thinceried o bryd i'w gilydd a bu amal bererin o'r llys ar bererindod i Dyddewi . . . Mae Llan-llŷr ymhell o Arllechwedd Ucha on'd ydi, yr Arglwydd Llywelyn? Fealle y medrwn i anghofio am Beredur mewn bro felly hefo gwŷr yr Eglwys."

"Fe hoffet ti fynd yno felly, Anna."

"Carwn f'arglwydd."

"Ond fe fydd caethiwed yn y lleiandy."

"Dim mwy o gaethiwed nag sydd yma!"

"Yna fe gei fynd. Cei ar fy llw. Fe ddwedai'r offeiried mai rhan o arfaeth Duw fydde hyn. Fe garwn inna weld Cymraes o Wynedd yn Llan-llŷr. 'R wyt ti'n braffach dy feddwl na'r rhelyw o ferched y llys Fe fydda' inna'n noddi Tŷ'r Brodyr yn Ystrad Fflur. 'Ddaw dim cam i ti,

Anna, oddi wrth nac Abad nac Abades tra bydd nodded Arglwydd Eryri drosot."

"Diolch, f'arglwydd."

Chwarddodd yn uchel wedyn a thynnodd yn fy ngwallt fel tynnu mewn rhaff wellt.

Cyn diwedd yr haf hwnnw a chyn i'r wawr godi ac i'r llys ymysgwyd gadewais lys Aber yng nghwmni Lowri, y bennaf o forynion y llys a'r ddau filwr, Edwin ac Owain. Y bore hwnnw yr oedd pob cynneddf yn fy meddwl yn llachar olau. Yr oedd Lowri dros riniog y canol oed, ei gwallt yn wyn a'i thafod fel melin bupur. Fe'i galwem hi yn 'fam y llys.' Prin y siaradodd Edwin drwy gydol y daith hir a blinderus honno tua'r Deheubarth. Ond am Owain, y milwr arall, yr oedd o gyff penceirddiaid. Yr oedd ganddo gorff gosgeiddig, ei wallt yn olau a'i lygaid glas yn denu merched. Gwelem glogwyni Eryri fel cribau gwrachod.

"Mi leiciwn i ddringo i gopa'r Wyddfa, Owain," meddwn, oblegid gwyddwn y gellid gweld o'r fan honno ar ddiwrnod clir i bellter Llŷn. Yno'r oedd y wyryfol Glynnog y pererinion a'r ffordd i Enlli.

Cawsom lety noson mewn tafarn ger y cei yng Nghaer-saint yn Arfon. Yr oedd yno regi morwyr ac ogla pysgod yn llenwi'r awyr. Fel y nesäem am Goed Alun a Dôl Pebin y Mabinogion adroddai Owain chwedl Math Fab Mathonwy. Ymlaen dros y Traeth-mawr a'r Traeth Bychan y ffordd yr aeth Giraldus a'r Archesgob. Cawsom aros noson yng nghyffiniau y Felen-ryd cyn cychwyn hyd lannau môr Cwmwd Ardudwy.

Yr oedd hen ŵr yn gyrru gyrr o wyddau ger Afon Mawddach ac yn pigo mwyar o'r perthi yr un pryd. Yr oedd yr hen ŵr yn drwm ei glyw ac ni chlywai sŵn y meirch. Buom yn cysgu'r nos honno mewn bwthyn ar lan yr afon yn wynebu Cadair Idris. Hen wraig o'r enw Neli'r Fonllech oedd yn trigo yno hefo'i merch ddall. Bu inni wrthod ei chawl pŷs a'i llaeth gafr am fod y crach ar ei dwylo. Daliodd y ddau filwr gimychiaid a'u rhostio i swper. Hen sach wedi'i rowlio oedd ein gobennydd a gwellt yn wely. Ac meddai Lowri :

"Pwy oedd yr hen ŵr a yrrai'r gwydde, r' hen wraig ?"

"O, Twm Gwydde, debyg iawn, o'r Faeldre, ar ei ffordd i ffair Dolgelle. Hen gena drwg ydi Twm, yn smalio 'i fod o'n fyddar rhag gorfod symud o lwybyr y meirch a'r trolie.

Mae o a'i hen wydde yn bla i'r fforddolion. Maen' nhw'n deud bod y Diafol yn cerdded hefo Twm ac y bydd o'n diflannu wrth Dŷ'r Brodyr yn y Faner."

"Ond dwedwch i mi'r hen wraig," gofynnodd Owain wedyn, "sut un ydi'r Diafol yma fydd yn dilyn Twm ?"

"Weithie mi fydd yn brefu fel ŷch hyd y glanne 'ma. Mi welodd Huwcyn Mynachty Canol o mewn angladd yn marchogaeth ci du a rhes o gythreulied mewn gwisgoedd duon o'r tu cefn iddo . . . ond pan fydd Twm yn dynesu at y Faner mi fydd y Diafol yn hofran fel clamp o bry' copyn o gwmpas wynebe'r Brodyr ac yn eu pigo nhw ar awr gosper nes bod penadynod yn codi ar eu cnawd nhw. Ac wedyn mi fydd y Diafol yn peri i'r plwy siarad yn yr Eglwys a hel straes."

Byddwn yn arswydo rhag y Diafol am iddo unwaith ymddangos i Sant Martin o Tours fel y Crist.

"Ond ple mae ôl yr hoelion ? Ple mae tylle'r waywffon ? Ple mae'r goron ddrain?" gofynnodd Sant Martin ac ar hynny diflannodd y Diafol. Ond nid ydym ni'r gwerinos yn ddewr fel Sant Martin ac fe ddaw'r Diafol weithiau fel aderyn y to, weithiau fel y frân a'r ddylluan a thro arall yn llysie'r maes. Dyna pam y byddwn yn gwneud arwydd y groes wrth gasglu llysie ac yn adrodd y Pader.

Fel y gorweddem y nos honno yn Nyffryn Mawddach rhuai'r gwynt yn yr hesg ac meddai'r ferch ddall, "Mae defed gwynion Porth Gwyddno am newid porfa. Mi fydd hi'n ddrwg tua Chantre'r Gwaelod heno !"

Y bore yn gynnar gadawsom yr hen wraig a'i merch a'u harogleuon a dilyn y ffordd tua'r Faner, sef Tŷ'r brodyr yn y Cymer. Rywdro ar y ffordd daethom ar draws Twm a'i wyddau ond ni welsom gysgod o'r Diafol.

Cawsom groeso tywysogaidd yn yr Abaty am ein bod o lys Aber. Buom yno ddeuddydd ar y daith. Yn y Scriptorium gwelsom gopi o Siarter yr Arglwydd Llywelyn i'r Abaty. Yn yr Eglwys yr oedd y cwpan a'r plât Cymun cywreiniaf eu gwneuthuriad ar a welsom erioed. Ar y plât yr oedd yn ysgrifenedig.

IN NOMINE PATRIS ET FILII
ET SPIRITUS SANCTI AM(EN).

Fel y nesäem tua Dyffryn Dyfi daeth rhyw hiraeth arteithiol am lys Aber. Yr oedd y fforestydd yn drwm gan aroglau llysiau llaith, y mwsogl yn garped di-ddarfod dan draed, crawcian y cigfrain a chyfarth y creaduriaid gwylltion. Troiswn fy nghefn ar Wynedd. Tir dieithr i mi oedd Powys a Deheubarth. Yno yr oedd nythle'r drain a fu yn ystlys Gwynedd erioed. Chwifiai plu'r gweunydd yn wannaidd yn y corsydd ac felly y teimlwn innau. Byr oedd eu parhâd ac mor ddi-liw a simsan. O'r diwedd daethom i Lanbadarn Fawr i lys Rhys Ieuanc.

Gerllaw'r Eglwys gwelsom dyrfa o bererinion ar eu ffordd i Dyddewi. Gwisgent diwnig llac yn rhwyllwaith o batrwm y croesau a het lydan yn clymu o dan yr ên. Yr ysgrepan yn hongian oddi wrth y gwregys ac yn llawn o fân greiriau a briwsion bara rhyg a darnau o liain main a fu'n gysylltiedig â dŵr swyn mannau'r pererindodau. Dychwelai'r pererinion hyn i'w mân dyddynnod ac i fannau anhygyrch y creigiau yn Ardudwy ac Eryri. Dôi eto lid ar yr ysgyfaint a byddai aroglau penwaig a bwyd gwerin yn bwn ar y stumog.

Buom yn bwrw'r nos honno yn llys Rhys Ieuanc. Cawsom ddigonedd o fara cann a chig rhôst a gwin i'w yfed. Yr oedd yno glerwyr bras yn difrïo'r offeren a'r gwŷr eglwysig. Ac meddai un yn iaith Ladin y

Goliardi — y gwyddai'r offeiriad sut i garu yn well na milwr :—

Clerus scit diligere
Virginem plus milite.

Yno, yn llys Rhys Ieuanc, dro'n ôl y bu helynt ffyrnig rhwng beirdd y glêr a Phylip Brydydd. Bardd yr hen draddodiad yw Phylip Brydydd fel beirdd y llys yn Aber a chwynai ddarfod i Rhys Ieuanc ganiatau i'r glêr baratoi cerdd iddo at Ddydd y Nadolig.

Y bore aethom i'r offeren yn yr Eglwys ac yno yr oedd lleian o Lan-llŷr a dau o'r Brodyr o Ystrad Fflur ac un o'r Conversi yn disgwyl amdanaf. Yno yng ngwasanaeth yr offeren y ffarweliais â Lowri ac ag Ednyfed ac Owain. Troais fy nghefn ar wlad fy nhadau. Eithr yno, yn noddfa garreg yr Eglwys a'i thŵr yn Llanbadarn-fawr pan lafar-ganai'r offeiriad, '*In nomine Patris, et Filii et Spiritus Sancti . . .* yn enw'r Tad, a'r Mab a'r Ysbryd Glân," daeth imi'r ymdeimlad o ddiogelwch. Parhad o Aberth Crist yw'r offeren a thrwyddi y trosglwyddir grasusau Duw i ddynion. Yr offeiriad yn gwyro dros yr allor, yn codi'r Bara Bendigaid. Yna'r Gwin . . . Caniad y gloch, a throsi'r Bara a'r Gwin yn Gorff a Gwaed . . . Heno, yn Llan-llŷr cerddodd y nos

Y mae Alis yn caru â'r hebogydd o Lannerch Aeron. Mae'n eneth bryfoclyd ond bydd y lleiandy yn wag hebddi. Weithiau bydd yn tynnu yn fy nghwfl neu yn llewys fy ngŵn gan esgus chwarae cnapan rhwng gwŷr cwmwd Anhuniog a chwmwd Mabwnion. Gan mai yng nghwmwd Anhuniog y mae Llannerch Aeron gwŷr y cwmwd hwnnw fydd yn ennill yn wastad! Gŵyr Alis hefyd na ddylai ymyrryd â gwisg lleian ar unrhyw amser ond yr ydym ni'r Cymry yn wahanol i'r Norman.

Ar y daith tuag Ystrad Fflur yr oedd Alis yn cellwair mwy nag arfer y bore hwnnw. Ac meddai :

"Pam nad ydi'r lleianod yn sôn am gariadon, y Chwaer Anna ? Bydde'r Chwaer Marïa yn codi'i ffroene, y Chwaer Joanna yn gweddïo ar Dduw a'r Chwaer Matilda yn gneud arwydd y groes wrth glywed sôn am beth felly. Am y Chwaer Ada feiddiwn i ddim siarad iaith cariadon yn ei gŵydd hi rhag ofn iddi roi anwes imi a thynnu'n llaw gnawdol hyd groen fy ngwddf."

"Sh— Sh—," meddwn, "ddylech-chi ddim siarad fel 'na am y Chwaer Ada, Alis!"

ymhell. Cyn hir fe ddaw'r 'oriau mân' pan fydd y byw yn marw.

Diwedd y Grawys, 1241.

Dyma ni'n ôl unwaith eto o Ystrad Fflur. Rhaid oedd bod yn Llan-llŷr at Ŵyl y Pasg gan y gall y pererinion alw ar eu taith i Dyddewi.

Fel y cychwynnem ein taith tua'r fynachlog, torrai'r wawr yn odidog dros Fanc y Gilfach-frân. Cystal oedd cychwyn gydag awel y dydd pan oedd ffresni yn y galon. Yr oeddem yn bedwar ar y daith, sef y Chwaer Joanna, Alis y forwyn gegin, un o'r Conversi a minnau. Cerddai Alis ychydig lathenni o'n blaenau gan ganu cerdd duw'r gwin na wyddai ei hystyr. Yn y gerdd y mae'r gwin yn rhoi llawenydd ac yn goglais serch a chyffroi'r awen. Asiodd rhamant y gerdd wrth hudoliaeth y bore hwnnw.

Bacchus forte superans
Pectora virorum
In amorem concitat
Animos eorum.

"Ond y mae pawb yn siarad am y peth, y Chwaer Anna. Dyna pam mae Rhonwen yn crïo yn y dortur cyn cysgu. Mae arni ofn dwylo a llygaid y Chwaer Ada . . . ac ofn ei gweld gefn trymedd nos !"

"Ond fyddwn ni ddim yn sôn am bethe fel yna oddi allan i'r Lleiandy !"

"Na . . . mi wn, ond mae hyn yn wahanol, y Chwaer Anna. Mi welis i Rhonwen yn sefyll yn y sgubor wrth y rhaff ac wedyn ger y ffynnon. 'R oedd hi'n edrych fel drychioleth am fod y Chwaer Ada yn rhoi ei dwylo yn ei gwallt ac yn anadlu ar ei hwyneb ac yn ei dilyn wedi gwasanaeth y Laudes!"

Hyn oedd pwrpas fy neges i'r fynachlog i gael trafod y sefyllfa gyda'r Abad Gruffudd. Euthum ag Alis y forwyn a'r Chwaer Joanna yn dystion. Fel y cerddem tuag Ystrad Fflur gwelem droliau'r fynachlog ar eu ffordd tua phorthladd Llanddewi Aber-arth. Teithiai pedleriaid ar hyd y ffyrdd a thinceriaid a gyrwyr gwartheg. Dôi brefiadau'r ŷch o'r meysydd a'r defaid o'r ffriddoedd. Huddid y bryniau â gwawr lwydlas a'u copäon megis saith graddau angylion. Ac meddai Alis yn y tawelwch llethol hwnnw :

"Dyna ryfedd yw Llan-llŷr heb Ddafydd a Gwion bach. Fe ddwedodd o unweth fod gennych chwi . . . ."

"Beth, Alis ?"

" 'R oedd o mor hen ffasiwn . . . Deud bod gennych chi gariad unweth yng Ngwynedd."

"Oedd, Alis, ymhell-bell yn ôl."

"Fyddwch chi'n meddwl amdano fo o hyd fel y bydda' i am Dudur o Lannerch Aeron?"

"Na . . . dim rŵan. Ers talwm mi fyddwn yn meddwl amdano fo bob awr ddydd a nos ac wedyn fe flinais feddwl amdano."

"Blino ?"

"Ie . . . os oeddwn i am fyw fedrwn i ddim dal i feddwl amdano fo o hyd ac mae'r marw yn pelláu gydag amser."

"Mi fydd gen i ofn marw."

"Pam, Alis ?"

"Ofn y pla du . . . ofn mynd yn ddiffrwyth fel Dafydd ap Gwion . . . ofn gwallgofi fel y Chwaer Veronica."

"Fel yna y mae bywyd, Alis. Yr ifanc yn ofni marw am fod bywyd heb ddechre cydio ynddyn' nhw, a'r hen yn ofni marw am fod bywyd yn hir yn llacio'i afael ac y mae poen-dod yn y ddau."

"Fydd arnoch chi ofn marw, y Chwaer Anna ?"

"Pe bawn i wedi cael marw flynyddoedd yn ôl pan ddois i gynta i Lan-llŷr mi fyddwn wedi gwenu yn wyneb ange, ond erbyn heddiw tydw i ddim mor siŵr."

"Rydech chi'n edrych yn hapus heddiw, y Chwaer Anna . . . Fe fydda i'n meddwl bod yr Abad Gruffudd o Ystrad Fflur yn hoff ohonoch chi."

"Pam, Alis?"

"Ei weld o'n gwenu ac yn tyneru bob tro y bydd o'n siarad efo chi."

"Mae hynny'n ddigon naturiol, Alis, gan yn bod ni'n dau yng ngofal dau Dŷ'r Urdd."

Fflachiodd llygaid Alis.

"Fe wn i hynny ac na ddylwn siarad fel hyn efo lleian . . . ond mae mwy o danwydd a bwydydd yn dod o Ystrad Fflur i Lan-llŷr nag a fydde yn nyddiau'r hen abades, ac mae'r Abad Gruffudd a'r brodyr yn galw'n amlach."

" 'D oes dim o'i le yn hynny, Alis. Trafod materion y lleiandy y byddwn ni gan mai merch i Ystrad Fflur ydi Llan-llŷr .

“A merch fach dlawd hefyd ! . . . Ond, y Chwaer Anna ?”

“Ie ?”

“Rwy’n credu y leiciech-chi fyw yn awr am fod yr Abad Gruffudd yn Ystrad Fflur !”

Ni ddywedodd neb fwy o wirionedd, ond nid gwiw i leian rannu cyfrinachau â morwyn y gegin. Mae rhyw dynerwch yn llais yr Abad Gruffudd fel murmur gwenyn yn y gwres a mafon yn y cloddiau.

“Am beth mae’r Chwaer Joanna yn meddwl ?” gofynnodd Alis yn y man, “ ’dydi hi ddim yn edrych ar na choeden na gwellt-yn.”

Mae’r Chwaer Joanna yn chwaer dduwiol, Alis. Bydd yn myfyrio ar y daith ac yn adrodd ei phadere ar awr defosiwn. Dyna reole’r Urdd.”

Daethom o’r diwedd at dyddyn lle’r oedd tri o blant rhacsiog yn chwarae ac yn dal slywennod mewn hen ffos. Yn y cae-dan-tŷ yr oedd dau ŵr wrth aradr, un ohonynt yn cydio yn y ddeugorn a’r llall yn wysg ei gefn yn annos yr ychen ymlaen. Treiddiai’i gân drwy’r awyr denau:

"Hwi 'mlaen. Hwi 'mlaen."

Felly'n union y byddai yn Arllechwedd Ucha yn nyddiau'r 'tridiau deryn du' a 'dau lygad Ebrill'. Aroglau pridd a chrawcian gwylanod lond yr awyr.

Cyraeddasom y fynachlog o'r diwedd Arweiniodd un o'r Conversi y meirch i'r stabl a daeth brawd â dysgl o ddŵr at y porth i olchi'r traed lluddedig. Yn y ffreutur yr oedd arlwy fras ar ein cyfer o laeth ac ymenyn, caws a chig. Ond anodd i un a fu ar hir gythlwng yw gwledda'n fras.

Ymysg y dyrfa a ddaethai i wasanaeth yr Esgob yr oedd bardd crwydrol ac uchelwr o Raeadr-gwy a chwedleuwr o Ffrancwr. Gŵr o Ddyffryn Clwyd oedd y bardd crwydrol yn canu clodydd uchelwyr Llewenni a Bach-ygraig a Bachymbyd. Aeth yn ddadl rhyngddo a'r Ffrancwr.

Dadleuai hwnnw na chanai'r beirdd yng Nghymru onid i'r da yn unig, ond am y Goliardi a'r Clerici Vagantes yr oedd at eu galwad ryddid y celfyddydau ym Mharis, Orleans a Salerno. Phyllis a Flora oedd cariadon y bardd a Venus ei feistres. Nid oedd neb yng Nghymru a ganai fel y Trwbadwriaid medd y Ffrancwr. Dyfynnodd wedyn o gerdd 'Apocalypsis, Goliae Episcopi' lle disgrifir y Pab fel llew, y prelad fel llo ac wyneb yr Archddiacon fel eryr! Cuddio ein hwynebau y byddwn ni bobl yr Eglwys ar adegau felly!

Gŵr porthiannus oedd yr uchelwr o Raeadr-gwy mewn crys o wlanen bras a llodrau a thiwnig o frethyn cartref. Ymffrostiai hwnnw yn rhin y Wialen o Eglwys Sant Curig a'r Bangu sef y gloch-law a berthynai i Ddewi Sant. Honno, meddid, a fu'n gyfrwng i losgi Castell Rhaeadr â thân o'r nef.

Oddi allan i'r clas yn y fynachlog yn Ystrad Fflur, yr oedd haid o'r begerwyr tlawd yn gweiddi blith-draphlith:

"Bara rhyg i grwydryn!"

"Potes pys, yn enw Mair!"

"Penhwigyn neu frithyllyn, O Abad!"

"Moes i ni gyffwrdd â'r Cwpan Sanct-aidd!"

"Moes i ni esgyrn y seintiau!"

Ond yr oedd y fynachlog yn llawn o wŷr yr Esgob o Dyddewi. Yn yr ystablau yr oedd ugain o geffylau yn perthyn i'r esgob a phump i'r archesgob. Yr oedd meirch Tyddewi mor niferus fel y bu raid i'r Conversi ddwyn meirch y Brodyr i ystablau'r mynachtai ym Mhenardd a Mefenydd. Wrth rodio ogylch y clas yn Ystrad Fflur daeth i'm cof ymweliad yr Arglwydd Llywelyn ddwy flynedd a hanner cyn hynny, ar Ŵyl Sant Luc yr Efengylydd. Galwodd gosgorddlu Gwynedd y pryd hwnnw yn Llan-llŷr. Mor hen yr edrychai'r Arglwydd Llywelyn y diwrnod hwnnw. Yr oedd ei gefn wedi crymu a rhyw ddiffrwythdra yn ei fraich.

"Anna fach," meddai, "fe wyddet am farwolaeth yr Arglwyddes Siwan . . . Mae'n gorwedd yn naear Môn, yn Llan-faes ger Afon Menai. Fe waddolais Dŷ i'r Brodyr Ffransis yno i weddïo dros ei hened hi."

Yna cronnodd dagrau yn ei lygaid. Peth rhyfedd yw gweld arglwydd gwlad yn crïo.

"A sut mae'r Arglwydd Gruffudd?" gofynnais.

Ocheneidiodd yr hen ŵr a fflachiodd ei lygaid.

"Yr oeddit ti'n hoff o'r Arglwydd Gruffudd, Anna?"

"Oeddwn fel pob morwyn arall yn y llys."

"Gwaed pur Cymreig ?"

"Ie, f'arglwydd."

Yr oeddwn ar fin ychwanegu bod mab Tangwystl ferch Llywarch y Coch o'r Rhos wedi ennill serch pawb yn llys Aber pan ychwanegodd yntau :

"Wyddost ti, Anna, Gruffudd fu loes penna 'mywyd i. Bob tro y taflwn o i garchar yr oedd hynny 'n darnio 'nghalon i. Rhois o yn wystlon i'r Brenin John ddeng mlynedd ar hugain yn ôl ac yna ei daflu i garchar Degannwy. Lluchio perle i'w enau a'u cipio oddi arno wedyn. Rhoi Meirionnydd ac Ardudwy iddo, wedyn Ystrad Tywi, ond mae ofn mwy na hynny yn y 'nghalon, Anna !"

"Ie, f'arglwydd ?"

"Heddiw rhoed imi'r hawl i enwi'r Tywysog Dafydd fel fy olynydd. Doedd yr un arglwydd yn Ystrad Fflur na roes ei lw i hynny . . . ac eto, mae ofn yn y nghalon."

"Ofn, f'arglwydd?"

"Ie, ofn i'r Tywysog Dafydd droi'n fethiant. All yr un Ednyfed Fychan nac Einion Fychan nac Esgob Llanelwy neud Dafydd yn gry. Fe all yr Iarll Gilbert o Benfro hawlio Aberteifi a Gruffudd ap Gwenwynwyn hawlio De Powys . . . ."

"Ond llwfrdra ydi i ŵr dewr ofni'r hyn nad yw, f'arglwydd."

"Ond bydd gwead y patrwm ar y gwŷdd mor fain weithie fel y gall y gwehydd synhwyro'r toriad yn yr edau, a'r synwyrusrwydd yma ydi cwymp y dewr."

Y mae dwy flynedd a hanner er pan lefarwyd y geiriau hynny a gwn fod ystof ac anwe patrwm gwleidyddol Gwynedd eisoes yn dechrau breuo.

Ond sôn am yr ymweliad ag Ystrad Fflur yr oeddwn i ac am wasanaeth yr esgob. Rhyfeddais laweroedd o weithiau at ryfeddod a chywreinrwydd cangell a chôr yr Eglwys yn y fynachlog. Nid oedd ddichon cael cyffwrdd â'r Cwpan Santaidd o bren y Groes y diwrnod hwnnw. Y mae rhin adfywiol i gleifion ynddo.

Wedi'r gwasanaeth llanwyd yr Eglwys â'r pererinion a ddaethai o ffordd Ystrad Meurig a Rhaeadr-gwy ac o Bont-rhydfendigaid ac Ysbyty Ystwyth. Hawliai un o'r pererinion iddo fod ym Mhalestina a chariai frigyn pren y palmwydd yn ei law. Hawliai un arall iddo gyffwrdd y fantell santaidd yn Trêves bell, sef mantell y Crist, ac iddo gyffwrdd â'r ffiol blwm yn cynnwys gwaed yr Archesgob Tomos yng Nghaergaint. Ond y mae aml gnaf ymysg y pererinion. Bydd rhai yn dwyn pres, eraill yn treisio merched. Bydd rhai, er hynny, yn gofalu bod bendith yr offeiriad a rhin y dŵr swyn ar ffon ac ysgrepan i'r daith. Fel yr ymlwybra'r gwŷr hyn ar hyd ffyrdd y pererinion bydd murmuron eu gweddïau yn y gwynt:

"Aspêrges me Domine hyssôpo, et mundabor: lavabis me, et super nivem dealbâbor . . ."

"Ti, O! Arglwydd a'm heneini ag isop. Fe'm glanheir. Golchir fi a gwneir fi yn wynnach nag eira . . ."

Y mae'r ffordd drwy Hen Fynyw tua Thyddewi a thros y sarnau tuag Ystrad Fflur yn îr gan weddïau'r saint. Felly y mae yn Rhyd-y-ceir, Rhyd-y-cleifion a thrwy Lôn-y-fynaches tua'r fynachlog.

Cefais sgwrs hir â'r Abad Gruffudd y diwrnod hwnnw. Duw a Mair a faddeuo i leian am roddi ei serch ar abad. Ond y mae rhywbeth yn llais ac osgo'r Abad Gruffudd a fydd yn dwyn arial i'm calon. 'D oes dim o danbeidrwydd gwyllt ieuenctid yn y berthynas hon eithr y mae ynddi beth o rin eneidiau cydnaws.

"A sut mae'r Chwaer Anna heddiw?" gofynnodd yr Abad fel y cerddai'r Chwaer Joanna a minnau allan o wasanaeth yr esgob.

"Mae yma fyw bras!" meddwn. "Allai'r chwaer dlawd Llan-llŷr ddim fforddio'r fath rialtwch â hyn. Y chwaer fach dlawd!"

Yn y llyfrgell dangosodd inni Groniclau Caradog o Lancarfan a dau Gronicl y Sistersiaid, sef y 'Magnum Exordium' a'r 'Parvum Exordium' gan un o abadau Clairvaoux. Gwelsom hefyd Ystatud 'Carta Caritatis', gwaith yr Abad Steffan. Yn y llwch yn y fynachlog y gorwedd hefyd femrwn taith Giraldus drwy Gymru a'i Gemma Ecclesiastica i archddeoniaeth Brycheiniog. Ac meddai'r Abad Gruffudd tra oedd y Chwaer Joanna yn troi dalennau y 'Carta Caritatis', sef Rheolau'r Urdd:

"Anna"

"Ie, Gruffudd?"

"'D oes gyfle i ddwyn gair ar wahân, heddiw."

"Rhwng yr Esgob a'i warchodlu."

"A'i gŵn a'i heboge . . . mae'r llygaid yn disgleirio hyd yn oed o dan gwfl lleian!"

"Fel Ffynnon-wen neu Ffynnon-fair."

"A'r galon?"

"Mor gynnes ag erioed."

"Beth pe clywai'r Esgob fod Abad Ystrad Fflur yn siarad iaith serch gydag Abades Llan-llŷr!"

"A'u bod dros eu pen a'u clustie mewn cariad."

"Fel plant deunaw oed."

"Ond na feiddian nhw na chusan na chyffyrddiad llaw . . . o dan fygythiad Llythyr-Ysgymuniad!"

"Fel Enoch, Abad Ystrad Marchell, a lleian Llansantffraid-yn-Elfael!"

"Ond, Gruffudd, fe greda i fod Duw a'r Forwyn yn gwybod. Y chi, a roes ddysg a gras yn fy nghalon ac a roes imi'r ewyllys i fyw."

Crynnodd dagrau yn llygad yr Abad Gruffudd, ac meddai:

" 'Rwyn disgwyl bod yn Llan-llŷr ymhen y rhawg a chawn benderfynu ynglŷn â dyfodol Rhonwen a'r Chwaer Ada."

Am y gweddill o'n harhosiad yn y fynachlog buom yn troi ogylch y gegin a'r ffreutur.

Dotiai Alis at y cawgiau pres enfawr, y platiau piwtar a'r felin fwstard. Yn y bragdy yr oedd padell bres a cherwyn i ddarllaw'r cwrw. Gadawsom Alis yn yr ysgubor yn siarad ag un o'r Conversi o Ysbyty Ystwyth. Yno yr oedd penffest ac ystrodur, y did a'r rhaff, y tresi a'r mynci mawr a'r certweiniau. Rhodiasom wedyn yn y perllannau a'r gerddi. Yr oedd y gwanwyn yn llenwi'r awyr a thynnodd brawd arwydd y Groes wrth glywed y gog am y tro cyntaf.

Dyna hyfryd oedd noswylio yn Ystrad Fflur heb orfod codi i'r Gwasanaethau ac i sŵn y gloch a hynny oherwydd blinder y daith.

Gŵyl y Pasg, 1241.

Rhoes yr ymweliad ag Ystrad Fflur adfywiad ysbryd i mi. Heddiw yn y Laudes profais beth o rin y profiad hwnnw a gefais yng ngwasanaeth yr offeren yn Ystrad Fflur. Myfyrio efallai ar athrawiaeth Bernard o Clairvaoux, o dan gyfaredd ymresymiad yr Abad Gruffudd, a roes fod i'r profiad. Fel y llafar-ganai'r offeiriad yn yr Offeren.

"In nomine Patris, et Filii, et Spiritus sancti . . . Kyrie elison." treiddiodd fy 'enaid mawr', yr 'anima magna' i hanfod y Duwdod gan ymgolli yn nirgelwch y cariad y cofleidiodd Duw ei Fab ynddo. O'm cylch yr oedd fflamau'r Ysbryd Glân fel tân ysol. Dyma gyfrinach Bernard. Yno, yn yr offeren, y cyrhaeddais y Cysegr Sancteiddiolaf ym mhreswylfod y Drindod ac y deuthum galon wrth galon â Duw. Yno, y clywais lais yn galw arnaf:

"Fy anwylyd a lefarodd ac a ddywedodd wrthyf, 'Cyfod, fy anwylyd, a thyred di, fy mhrydferth'."

Medrwn ganu o Gân y Caniadau fel y gwnaethai Bernard :

> Mor deg yw dy gariad, fy chwaer a'm dyweddi ! Pa faint gwell yw dy gariad na gwin ac arogl dy olew na'r holl beraroglau !
>
> Dy wefusau fy nyweddi, sydd yn diferu fel dil mêl ; y mae mêl a llaeth dan dy dafod ac arogl dy wisgoedd fel arogl Libanus.

Fe erys rhin y profiad hwn ymhell wedi Gŵyl y Pasg a bydd Llan-llŷr yn drwm dan ei gyfaredd.

Daw i'm cof Nos Iau Cablyd ymhell yn ôl pan gerddwn at allor y Cymun Bendigaid gyda'r Chwaer Elinor. Gorweddai'r Cymun ar yr allor hyd Wener y Groglith a cherddem ninnau yn ddwy a dwy at yr allor. Nofis oeddwn i. Yr oedd penwisg y Chwaer Elinor fel plu'r gweunydd yn ysgafn, gannaid a'i llais yn lleddf fel su'r gwynt ar Gors Caron. Sefyll ac yna penlinio. Yn yr eiliadau hynny, cyffröwyd ein hysbrydoedd gan Ysbryd Duw. Gweddïai'r Chwaer Elinor yn angerddol a threiddiodd cyfaredd ei geiriau hyd at eigion fy nghalon. Llusgwyd finnau gerfydd ei 'henaid mawr' hi, hyd at Borth Paradwys. Ac yn rhuthr y cymundeb â'r Ysbryd Glân daeth gwres i'r galon a goleuni i'r llygaid. Crynai'r enaid yn affwys mawr y tragwyddol a'n gadael yn ddiymadferth. Yno, gyda'r Chwaer Elinor y dysgais i gyntaf am rin cyfathrach enaid â Duw. Ac yno ymhell wedi i'r profiad gilio y gorweddem wedi'n llethu gan wres yr Ysbryd Glân. Yn nhrymder y dortur y nos honno parhawn i ddrachtio o ffynhonnau Cariad Duw:

"O! Fair Fam Iesu! Yfwn o'r dŵr bywiol; o'r ffynhonnau dihysbydd a dardd ym mynyddoedd Duw. Ireiddiwn ein calonnau â blodau angylion a phren y Bywyd. Yno y cân adar Paradwys. Canys ffrwyth y Pren fydd melys i'n genau." Fel y torrai'r wawr dros fynydd Tregaron fore Gwener y Groglith, y cododd haul mynydd Duw ar fy mywyd.

Ie, myfyrdodau fel hyn a ddaw ar Ŵyl y Pasg.

Bu yma lanc a hen ŵr dall yn bwrw noson ar eu ffordd i Dyddewi. Clywais fod y ffyrdd drwy Ysbyty Cynfyn a Phont-rhyd-fendigaid ac o'r Rhaeadr a Llangurig yn frith gan bererinion. Yr oedd y clas yn Ystrad Fflur neithiwr, meddid, yn fyw gan rialtwch pobl. Gwelwyd un hen wraig yn wylo'i chalon allan gerllaw Rhyd-y-ceir ar ffordd y pererinion o Ystrad Meurig. Daethai â'i mab claf o diriogaeth afon Wysg. Llethwyd y mab gan y daith a bu farw.

Anaml y bydd y pererinion yn marw ar y daith gan y bydd eu Ffydd yn eu cynnal. Cedwir rhai ohonynt yn Hafod-y-cleifion yn ysbyty'r mynaich. Yn anterth yr haf bydd aroglau'r cleifion yn llethol rhwng y cyrff afiach, y briwiau pen-agored drewllyd a'r malltod yn y crawn. Ond o'r tu ôl i'r ffieidd-dra bydd rhyw lewych yn y llygad yn gloywi'r bersonoliaeth.

O'm blaen y mae copi o femrwn Giraldus i Archddeoniaeth Brycheiniog, sef y 'Gemma Ecclesiastica'. Ni ddeallaf i mo'r Lladin ond yn ôl yr Abad Gruffudd fe rydd Giraldus fawr bwys ar gysegredigrwydd yr offeren. Canys yn y drydedd awr, medd ef, y cynhelir yr offeren am mai ar yr awr honno y croeshoeliwyd Crist . . . yn y Grawys cynhelir hi am dri o'r gloch yn y pnawn . . . yn y Pasg adeg dechreunos. Ac meddai am Gwpan y Cymun :

"Lle na byddo cwpan o aur neu arian oherwydd tlodi'r Eglwys, bydded o alcam pur."

Y mae i bopeth ei gyfnod a'i amser. Cyn hir bydd Gŵyl y Pasg drosodd. Melys heddiw yw byw. Meddyliaf am y dyrfa yn y clas yn y fynachlog yn ymgrymu o flaen y Cwpan Santaidd, fel adar wedi colli eu plu, yn garpiog a newynnog. Yn oerni gaeaf byddant yn ffoi rhag bywyd ar welyau haint, ac yn nhes yr haf, yn dianc rhag marwolaeth. Heddiw cânt weld Pumlumon a bydd ffyrdd y pererinion yn dolennu cadwynau'r cenedlaethau gyda'i gilydd.

Yn y fynachlog y gorwedd disgynyddion yr Arglwydd Rhys o Ddinefwr ac yn eu plith Hywel Sais a lofruddiwyd gan ei frawd

Maelgwn, Mallt de Breos, Gwenllian ac Isabel . . . Yfory fe'n cludir ninnau fel ein tadau.

Wythnos y Pasg, 1241.

Galwodd hen bedler yn gynnar heddiw yn gwerthu sebon a nodwyddau. Daethai ar droed gyda'i nwyddau o harbwr Llanddewi Aber-arth. Daeth pwt o eneth o fysg y plwy yma gynnau i ddweud bod yr Ancres o Giliau Aeron yn wael. Anfonais ychydig o laeth a llysiau iddi a dau grys a thiwnig i'w hymgeleddu. Bu'n ei fflangellu'i hun yn ddiweddar hefo drain a phigau celyn. Dyna'i dull o'i phoenydio'i hunan. Ni fyddai Giraldus a John o Salisbury wedi condemnio merched gymaint pe gwyddent am deyrngarwch rhai fel y hi.

Dychwelodd Alis i Lan-llŷr wedi treulio'r ŵyl gartre yn Llannerch Aeron. Bu yn nhref Aberteifi ddydd Llun y Pasg. Yr oedd yno un o'r Brodyr Crwydrol, meddai, yn pregethu yn erbyn y Saith Bechod Marwol. Pregethai hwn yn iaith y bobl ac nid mewn Lladin. Pregethai mai tŷ i gadw cyrff ynddo yw crefydd Eglwys Rufain ac meddai Alis:

"Dywedodd y Brawd fod yn yr Eglwys nadrodd a chynrhon ac fel yr oedd y cyrff yn madru dôi tân uffern i'w difa . . . tân anniffoddadwy uffern !"

Condemniodd y bobl am geisio iachawdwriaeth drwy ddŵr swyn a chreiriau a phererindodau. Chwarddai'r bobl ifainc nes bod eu hochrau'n siglo ond yr oedd eraill yn murmur a'u wynebau'n llawn artaith.

"O ! Fair Fam Iesu ! Gwared ni rhag y cryd, rhag y cornwydydd a chlwy'r marchogion ! Rhag oerni Pumlumon a lleithder Cors Caron !"

Taranodd y Brawd drachefn :

"Canys ni ddichon un gŵr ddianc drwy ffafr arglwydd gwlad na llwgr-wobrwy !"

Ar hynny penliniodd rhai o'r dyrfa a thynnu arwydd y Groes, gan lefain "Dei Genitrix ! Gwared ni rhag rhaib yr Iarll Gilbert o Aberteifi !"

"Rhag cynllwyn Norman ac anwadalwch Cymro !"

"Rhag y Brenin Harri !"

"Rhag haint gwely claf !"

"Rhag y fidog yn y frwydr !"

Uwch eu llefain clywid dedfryd y brawd :

"Nid achubir onid y pur o galon."

Yna, llefodd y dyrfa blygedig eilwaith:

"Dei Genitrix! Arwain ni hyd lwybrau'r pererinion hyd Dyddewi."

"Hyd at allor Fair o Ben Rhys."

"I Santiago'r pererinion."

"I Lourdes."

Ar fin y dyrfa, meddid, yr oedd merch ifanc, prin ddeunaw oed ac ôl y frech wen hyd gnawd ei gruddiau. Symudai'i gwefusau'n araf, dawel :

"O! Fair Fam Iesu! Dyro i mi gnawd rhianedd y llys . . . dyro i mi ddillad o'r pali drudfawr . . . Dyro i mi serch uchelwr . . . a gwely cariad a gwinoedd Ffrainc."

Yna clywyd gwaedd fras o'r dyrfa

"*Hic est frater, ergo menda*x . . . Ie, brawd crwydrol yw hwn. Celwyddwr yw hwn !"

Diflannodd y brawd wedi hyn tua ffordd yr harbwr. Yr oedd yn droednoeth a'i wisg yn rhacsiog fel hen fwgan brain. Ni chariai onid blawd ac ychydig halen a ffrwyth y pren ffigys. Fel y Brodyr Crwydrol eraill bydd yn ymweld â'r gwahangleifion ac yn derbyn cyffes y saint. Bydd hyn yn cyffroi'r Sistersiaid, ond yn fy myw y gwelaf fai ar y saint am gyffesu i Frawd Crwydrol. Gall dyn ddweud ei galon wrth ŵr dieithr gan y bydd y brawd yn newid bro yn aml.

Oddi allan i'r tafarnau yr oedd milwyr yr Iarll Gilbert yn canu cerddi maswedd i Bacchus, duw'r gwin :

Bacchus saepe visitans
Mulierum genus
Facit eas subitas
Tibi, O tu Venus.

Oddi mewn yr oedd naws byd y Goliardi a thaflu disiau a chyfogi a difrïo gwŷr yr eglwys.

"Glywsoch-chi fod meistres gan offeiried Eglwys Sant . . . ?"

"Mati Lew."

"Ie, bydd yn gwthio'i phen o dŷ'r 'ffeiriad fel cwningen o dwll y pridd."

"Fel cwningen fach a'i chynffon bwt ym mhalfe'r wenci !"

"Ond, 'dyw'r wenci hwn ddim yn lladd !"

"Na, 'dyw hwn byth yn lladd !"

Ar hynny chwarddodd y cylch wrth y ford ac aeth yn ddadl pa un a ddylai gwŷr yr eglwys briodi ai peidio.

Bwnglerodd rhywun, mwy meddw na'i gilydd, eiriau cerdd Ladin y Goliardi am benderfyniad dychmygol cynhadledd o glerigwyr ar y pwnc:

Habebimus clerici duas concubinas . . .

Gwelodd Alis ryfeddodau lawer yn nhref Aberteifi. Yr oedd yno fasnachwyr mewn hetiau-pig a mentyll llwydlas gyda ffrwynau'r meirch yn tincial. Hen ŵr o'r wlad gyda chert yn orlawn o gasgenni a photeli lledr; ceffylau dan bynnau o wlân; merched ar feirch yn cario ŵyn ar y cyfrwyau; pedleriaid gyda'u rhubannau a'u nodwyddau; tinceriaid, begeriaid, ffyliaid ffair a'u triciau, chwedleuwyr a gwŷr yn gyrru gwartheg a moch a gwyddau!

Bydd Alis yn sôn am hir amser am rialtwch y ffair yn Aberteifi.

DIWEDD WYTHNOS Y PASG, 1241

Rhoesom heibio'r gwaith gwau a'r brodwaith yn y clas. Rhaid edrych at y gerddi a'r perllannau o hyn ymlaen. Y mae'r cwilt o waith y Chwaer Joanna yn rhyfeddod i'r llygad. Addurnodd ef â darluniau o adar amryliw a llewod gyda'r llythyren 'M' yn y canol am Mair Forwyn. Mae'r gwaith a wneir yn y lleiandy gydag edau a nodwydd yn gywrain i'w ryfeddu.

Daeth yr Abad Gruffudd yma o Ystrad Fflur yn ôl ei addewid a dau o'r Conversi. Adroddais wrtho yr hyn a glywais gan Alis am ffair Llun y Pasg yn Aberteifi. Soniais fel y bu dadl yno ar a ddylai gwŷr yr eglwys briodi ai peidio. Gwenodd yr Abad Gruffudd ac meddai:

"Pe bawn i heb ymuno ag Urdd y Sistersied falle y byddwn yn Bencerdd, Anna ! 'D oes wybod."

Yna adroddodd ddarn o'i waith ei hun:

Y maith flynyddoedd hyn, ni siglodd
gwraidd fy Ffydd,
Cans nid oes dim yn ddieithr im ;
Drycinoedd cnawd ac ysbryd, mi a'u
gwn —
A gwn am chwant y cnawd fo'n marw
yn ddi-esgor, fud.

Peth rhyfedd bod Abad Sistersaidd yn fardd !

Addysgwyd ef fel pob gŵr eglwysig yn nhraddodiad y Trivium a'r Quadrivium sef yr addysg seciwlar mewn rhethreg a rhesymeg. Ond bellach mae dylanwadau newyddion yn llifo i mewn i'r gorllewin ac y mae gweithiau Aristotl yn bwysig a Phlatoniaeth Gristnogol. Nid wyf yn deall odid ddim am y dadleuon hyn a phrin yw eu dylanwad ar Lan-llŷr. Yr ydym yn byw mewn cyfnod o Ddadeni, meddai'r Abad Gruffudd. Fe ddaeth yn sgîl Rhyfeloedd y Groes a choncwest Constantinopl.

Cyfnod cymharol ddi-ddigwydd yw hwn ac mewn cyfnod felly bydd lle i straella, i ddifrïo gwŷr yr Eglwys, i amau'r hen Ffydd ac i greu heresïau. Felly y daeth heresi'r Cathari o Fflandrys. Yr oedd gwŷr yn Ffair-rhos, Ŵyl y Grog, yn amau'r Trawsylweddiad, meddai'r abad, ac yn holi un o'r mynaich o Ystrad Fflur :

"A droir y bara'n gnawd a'r gwin yn waed ?"

"A all gwyry feichiogi ac wedi beichiogi barhau'n wyry ?"

"Sut y gellir atgyfodiad y corff o'r llwch?"

"Onid yw'r offeiried yn anwybodus ac yn byw mewn trythyllwch?"

"Rhoes yr Abad ddau femrwn i'r Scriptorium sef, *Ars Fidei Catholicae,* gan Nicholas o Amiens a *De Mundi Universitate,* gan Bernard Sylvestris. Rhyfeddaf yn aml at ddysg Ysgolion Rhethreg y Cyfandir. Bydd yr anrhegion eraill yn llawer mwy derbyniol gan y chwiorydd. Fe'u cofnodaf yn Llyfr y Cyfrifon:

"Rhodd yr Abad Gruffudd o Ystrad Fflur at wasanaeth yr ysbyty — gwely plu, dau obennydd, pâr o blancedi, cwrlid bras, dwy ganhwyllbren biwtar."

Ychwanegaf hefyd y gorchymyn i symud Rhonwen i leiandy Llanllugan.

Wedi Calanmai, 1241.

Buom yn Llanllugan o'r diwedd. Yr oedd y daith yn hir a blinedig. Y bore pan gychwynnem yr oedd min ar yr awel. Mis clychau'r gôg a'r briallu a blodau drain gwynion ar y perthi. Dywedai'r hen bobl yn Arllechwedd Ucha fod rhyw rin arbennig yng nglaw mis Mai yn Eryri a'i fod yn melfedu'r cnawd. Dyna pam, meddid, y byddai gwraig Llys Angharad yn cadw llond casgen ohono erbyn gerwinder oer y gaeaf. Ofnem y daith i Bowys ond rhaid oedd hebrwng Rhonwen hyd Lanllugan.

Mae sŵn rhyfeloedd yn y tir unwaith eto. Clywais fod Gruffudd ap Gwenwynwyn yn codi yn Ne Powys a Gruffudd ap Madog yng Ngogledd Powys yn erbyn y Tywysog Dafydd. 'D oes dim dal ychwaith ar Faelgwyn Fychan o Fabwnion. Rhyw drymder o flaen storm sydd yn cyniwair y dyddiau hyn. Mae anniddigrwydd o Raeadr-gwy hyd at Gaer yn y Gogledd. Mor dlawd yw hi ar Wynedd wedi marwolaeth F'arglwydd Llywelyn! Syrthiodd derwen Gwynedd, chwedl y beirdd, o'i gwraidd i'w brig. Cryn adar yn ei changhennau ac ni fynnant ganu rhag deffro gelyn. Y mae'r hen ddylluan hefyd yn swatio ers nosweithiau yng nghoed Dyffryn Aeron.

Fel y teithiem drwy gwmwd Arwystli soniai'r Conversi am frwydr fawr Mynydd y Garn rhwng y Brenin Trahaearn o Wynedd a'r Arglwydd Rhys ap Tewdwr.

"Yma," meddai, "y gwanwyd Trahaearn drwy'i gorff a'i droi wyneb i waered ar lawr nes ei fod yn bwyta gwellt. Gwnaeth Gwchraris o'r Werddon gig mochyn ohono fel o hog."

Dangosodd inni wedyn y dyffrynnoedd a'r fforestydd a'r siglenni lle bu gwŷr Rhys ap Tewdwr yn ymlid gwŷr Gwynedd yng ngolau'r lloer.

Difethwyd Arwystli gan dân a chledde," meddai, "llosgwyd eglwysi Powys ac aed â gwragedd a llancesi yn garcharorion."

Llafurus ar y gorau oedd y daith i Lanllugan. Gyda'r nos cyraeddasom dafarn a yswatiai yng nghilfach y mynyddoedd. Yr oedd y dafarn yn llawn o wŷr y wlad. Syrthiodd tawelwch anniddig ar y lle pan gerddasom i mewn — y Brawd o Ystrad Fflur a'r Conversi, y Chwaer Elinor, Rhonwen a minnau. Anaml y byddwn ni'r lleianod yn teithio mor bell o'r lleiandy. Edrychir arnom fel Normaniaid.

Yr oedd aroglau gwres meirch a chwrw a llawnder o dân mawn yn y dafarn. Gall nosau mis Mai fod yn finiog ond i rai fel ni a fu'n dygymod yn hir ag oerni Tŷ'r Urdd gall y gwres fod yn llethol. Yr oedd yno lanciau yn chwarae tawlbwrdd a milwyr a bardd a thelyn.

"Estronied felltith ! Y diawled !" sibrydodd un o dan ei anadl.

"Ie, y nhw sy'n rheibio Pumlumon."

"A chwmwd Deuddwr ac Arwystli ac ymhell hyd Rhaeadr-gwy."

"Heb sôn am Is ac Uwch Aeron."

"Yr Urdd o Ddyffryn y Wermod !"

"Fu rioed y fath wermod ar Gymru !"

Chwarddodd y cwbl ohonynt yn uwch ar hynny.

"A phwy fu'n esgus noddi'r 'wermod' er pan fu farw'r Arglwydd Rhys ap Gruffudd?" gofynnodd un o'r bechgyn a chwaraeai dawlbwrdd.

"Hil gythreulig Llywelyn ab Iorwerth a'i wraig o Normanes ! Draen yn ystlys Powys erioed."

"Ond mae'r rhod yn troi, hogie," llefodd un arall, "epil gwan ydi'r Tywysog Dafydd hwn yng Ngwynedd, yn ôl a glywais. Mae'r gwŷr a'r gwragedd hysbys yn proffwydo 'mhob ffair a marchnad y cyfyd Gruffudd ap Gwenwynwyn eto ym Mhowys i ddial y cam ac i adfer tiroedd 'i dad a'i daid, Owain Cyfeiliog."

"Falle bod 'sbiwyr ymysg y rhain o Urdd y Wermod . . . Urdd y llysie a'r dŵr," chwarddodd rhyw sgleffyn o hogyn gyda llygaid wedi'u croesi yn ei ben na allai dim ond angau roi caead arnynt.

"Choelia' i fawr," llefodd un arall, "mae'r rhain yn byw'n fras ar fara cann a chig rhôst a gwinoedd Ffrainc. Chlywsoch chi ddim fel y bu i Abad Tŷ-gwyn-ar-dâf chwilio i mewn i afradlonedd y brodyr yma."

Cil-drôdd ei lygaid i edrych arnom. Gallwn yn hawdd fod wedi gwenu oni bai i mi gael fy llethu gan bwys a gwres y dydd.

Ond yr oedd y sôn am Owain Cyfeiliog wedi gafael ynddynt. Tynnodd y bardd yn nhannau'i delyn ac fel yr oedd yr hogiau yn anwesu'r cyrn yfed, adroddodd yntau gerdd Owain Cyfeiliog, tywysog mawr Powys, i gyfeiliant y delyn.

> "Hirlas buelyn braint uchel heno,
> Arian a'i gortho nid gorthenau."

Bron na chlywem lais y bardd ei hunan yn galw ar i'r menestr lenwi'r cwpan gwin a'i ddwyn i bob un o'i gymdeithion dewr. Ac yna, daeth tristwch am un a gollwyd, oblegid nid yw Moreiddig mwy:

> "Ochan Grist! mor wyf drist o'r anaelau,
> Ogoll Moreiddig, mawr ei eisiau."

Sylweddolais innau, yno, ar dir Powys nad hon oedd y Gymru a wybûm i. Syrthiasai rhyw dawelwch llethol dros y lle fel y bydd dyn yn coffàu arwr a gollwyd. Dyma'r wlad y bu i'r Arglwydd Llywelyn ei goresgyn, sef Powys Isaf. Ef a yrrodd Gwenwynwyn ar ffo tua Chaer. Felly, meddid, y machludodd haul Powys. Clywais ddweud y gallai Gwenwynwyn pe bai yng Ngwynedd fod cystal gŵr â'r Arglwydd Llywelyn. Bellach ymhen chwarter canrif y mae'r rhod yn troi a Gruffudd ap Gwenwynwyn unwaith eto yn hawlio Powys Isaf. Powys a'i glendid a'i mwynder! Hyn fu achos ei darostyngiad. Dyma wlad Cynddelw Brydydd Mawr, pencerdd llys Madog ap Maredudd.

"Ond, hogie," llefodd un o'r Powysiaid wedyn fel pe bai wedi darganfod rhywbeth mawr, "pwy a sefydlodd Abaty Ystrad Marchell?"

"Y Tywysog Owain Cyfeiliog" meddai rhywun.

"Yfwn felly, i Urdd y Sistersied !"

"Ie, yfwn i Urdd y Sistersied !" meddai'r cwbl.

Sylwaswn ers tro fod y bardd ifanc yn syllu ar Rhonwen. Tiwniodd ei delyn drachefn a dechreuodd ganu cân serch Hywel ab Owain Gwynedd:

> "Fy newis i, rhiain firain feindeg,
> Hirwen, yn ei llen lliw ehoeg . . ."

Ac meddai'r lleill am y bardd:

"Gwelwch fel mae o'n llygadu'r lleian."

"Fel gwenci ar 'sgwarnog !"

"A'r tân yn 'i lygid."

"Fel tân o aelie'r Diafol."

"Fe dry'n Ddiafol o chwennych lleian !"

"Bydd ganddo gyrn ar ei ben a'i linie; bydd tân coch yn ei ffroene."

"A chynffon ganddo a barf at ei draed."

"A drewdod !"

Chwarddodd y cwmni yn uchel ar hynny.

Cuchiodd wyneb y bardd. Yr oedd yn fireiniach ei foesau na'r gweddill o'r cwmni. Ac er ymffrost a haerllugrwydd y Cymro, nid dieithr mohono i'r grefydd Gatholig. Wedi i ni dylwyth yr Urdd noswylio clywem sŵn canu emyn i gyfeiliant y delyn:

> Gogonedawg Arglwydd, henpych gwell ;
> A'th fendico di eglwys a changell,
> A'th fendico di cangell ac eglwys . . ."

Ac felly y caeodd y nos honno o fis Mai yn dawel am fryniau Powys Isaf. Cysgasom y nos honno ar welyau o sachau gwellt hefo brychan bras yn gwrlid drosom.

Trannoeth gyda'r wawr yr oedd y bardd ifanc yno eto. Safai oddi allan i ddrws y dafarn yn rhythu ar Rhonwen. Gwenais arno ac meddwn:

"Addwyn Mai i gogau ac eaws."

Edrychodd y bardd arnaf mewn syfrdan.

"Cerdd Taliesin," meddai.

"Ie, fe'i clywes amser maith yn ôl yn llys f'arglwydd Llywelyn yn Arllechwedd Ucha !"

"Felly . . . yr oeddech chi'n deall neithiwr." Gwenais arno drachefn ac meddwn :

"Oeddwn 'roeddwn i'n deall, ond nid Rhonwen."

"Normanes?"

"Na."

Gwelwodd ei wyneb beth ar hynny.

"Ond mae'n hardd," meddai.

"Ydyw, yn hardd ond mae'n fud."

Daeth arwydd o dosturi i'w wyneb am eiliad ac yna ciliodd. Mae'n rhyfedd fel y gall llanc anghofio. Ni cheisiai ddim ond ei harddwch. Ac meddai'n frysiog:

" 'Rydw i ar daith glera i Fathrafal. Falle y gwela ichi eto . . . falle."

Ond ni welsom ef wedyn. Mae ysbrydoliaeth bardd fel pry'r gannwyll, yn gyfnewidiol a phryfoclyd.

Wedi ffarwelio â thylwyth y dafarn daethom at eglwys fechan lle'r oedd dyrnaid o bobl wedi ymgynnull i wasanaeth cyntaf y dydd. Yr oedd yno wraig oedrannus gyda bwndel o danwydd a phlentyn cecrus a gŵr cloff ar daith i Dyddewi. Eglwys bren hen-ffasiwn oedd, gyda'i muriau o goed talgryf a'u canghennau preiffion wedi'u gwau'n glos yn ei gilydd. Fel y nesäem clywem ganiad y gloch. Wrth y porth deheuol yr oedd y dŵr swyn. Safem yn y gwasanaeth yn gwylio goleuni'r wawr ar gorff yr eglwys. Eisteddai'r plentyn yn ei gwman wrth droed un o'r coed preiffion yn naddu lluniau yn y pren. Yr oedd yn gecrus ac aflonydd. Sibrydai ag ef ei hun :

"Llun neidr . . . ffured . . . llyngir . . . a llun y ddraig sy'n poenydio Tim Tai-coch yn Uffern am iddo ladd gafr Beti Llain-hir, ynte nain?"

"Gwiber yn sugno bronne Cêt Llwyn-y-moch am iddi roi'i phlentyn i'r hwch i'w fagu."

Yna daeth yr haul i ganol llawr yr eglwys a chododd ein gweddïau heibio i'r creiriau a orffwysai o dan liain gwyn yr allor a heibio i 'Bum Clwy'r Gwaredwr !' Ar hynny cododd y bachgen oddi ar ei eistedd a rhedodd i guddio o dan fantell lwydlas yr hen wraig.

Pefriodd llygaid y plentyn gan ofn — ofn y wiber a oedd wedi sugno bronnau Cêt Llwyn-y-moch, ofn y ddraig a boenydiodd Tim Tai-coch ! Ar fôn y pren nid oedd ond arwydd-luniau digon di-siâp a di-lun fel y bydd medd-yliau tryblith pechadur ar wely angau.

Llonyddodd y plentyn ar hynny a chododd ein gweddïau i anwesu'r bore.

Ora pro nobis sancta Dei Genitrix . . .

"Gweddïa drosom, Ti fendigaid Fair, Fam Iesu."

Ac yna gorweddodd fy enaid mewn tangnefedd. Ym mhlygion fy urddwisg, lapiai blynyddoedd f'einioes i'w gilydd yn frau fel llwydni'r wawr.

> "O! Fair Fam Iesu..... Gwylia ni, y duwiol rai a neilltuodd Duw iddo'i Hun. Gwarchod ni oddi allan i neilltuedd Clas a Changell."

Yna gweddïodd yr offeiriad dros drafeilwyr y ffyrdd allan o 'Antiphony' yr 'Itinerary':

In viam pacis . . .

Ar hynny ymlwybrodd y gŵr cloff at yr allor lle gorweddai'r creiriau o dan y lliain gwyn:

"O! Fair Fam Iesu, iachâ fi!"

Ac meddem ninnau,

Ora pro nobis sancta Dei Genitrix.

Fel y gadawem yr Eglwys gofynnais i'r gŵr cloff o ba diriogaeth y daethai.

"O dir Iâl," meddai.

"A'ch taith?"

"I Dyddewi."

"A'r anaf?"

"Fe'm cloffwyd wrth ymladd dros f'arglwydd Madog ap Gruffudd o Iâl."

Gynt ymestynnai tiriogaeth Madog ap Gruffudd o Ddyffryn Tanat dros Ddyfrdwy hyd Gaer a rhoes ei gynhorthwy i'm Harglwydd Llywelyn. Ac meddai'r gŵr cloff :

" 'Does dim ond ymrafel bellach rhwng ei feibion o, Maredudd, Madog a Gruffudd Maelor."

"Ond beth am Ruffudd Iâl?" gofynnais.

"Fe'i lladdwyd o gan 'i frawd 'i hun, Maredudd."

Wrth siarad â'r gŵr cloff meddyliais fel yr oedd tawch dros Wynedd fel y byddai dros glogwyn y Penmaen-mawr ers talwm. Mae'n awr dyngedfennol ar Wynedd. Dim ond un cam gwag as fe syrthiwn yn bendramwnwgl i'r diddymdra mawr. Pe dôi'r Arglwydd Dafydd heibio i Lan-llŷr, carwn gael gair ag ef er y byddai'n haws gennyf siarad â'r Arglwydd Gruffudd am ei fod yn fab i Gymraes. Gofynnais wedyn i'r gŵr:

"Onid oes gwellhâd i'w gael yn Iâl?"

Gwenodd ar hynny fel un wedi hen gynefino â'i gloffni.

"Fe fûm yng Nglyn-y-groes Ŵyl y Grog."

"Ag Enlli?"

"Yn Enlli a'r Ffynnon Fair a Chlynnog-fawr, Ŵyl Ieuan yr Ha' ac yn Sant Dyfnog yng Nghinmeirch, Ŵyl Fair Fawr !"

" 'Does fawr o Wylie'n aros !" meddwn.

"O, oes," meddai, "fe af at ddelw Derfel Gadarn, Ŵyl Ieuan Fach. Bydd yno gannoedd o bererinion a gyrroedd o ŷch a cheffyle a chreirie."

Cariai'r gŵr cloff ysgrepan yn ei law a honno'n llawn hyd ei hymylon.

Estynnodd yr offeiriad gardod iddo gan ddweud: "Y Forwyn Fair a'th fendithio."

Ond yn fy myw y medrwn gredu bod angen bendith y Forwyn arno. Tipyn o ffŵl y ffordd fawr oedd hwn, yn dwyllwr a sugnwr heb ei fath. Fel y dringem i fyny'r llwybr oddi wrth yr eglwys, cil-edrychais i lawr yr allt. Yr oedd y gŵr cloff wedi diflannu ac nid oedd hynny'n syndod yn y byd gennyf. Mae creaduriaid rhyfedd yn crwydro'n ffyrdd byth er dyddiau rhyfeloedd y Groes. Pe deuai rhyfel eto byddai llai o ddrwg-weithredwyr yn llechu rhwng mynachlog a mynachlog a llys a llan.

Teithiasom ymlaen wedi hynny. Nid oedd ond gweundir a chors a thir-rhos am filltir-oedd meithion. Yna fe ddaeth mochyn gwyllt o'r coed a thramwyem ninnau lwybrau diarffordd y geifr a phorfeydd y defaid. Cawsom ddi-sychedu'r meirch ym muarth fferm. Yno yr oedd perllan a gardd ac yn yr hydref byddai'r berllan yn llawn o eirin surion bach. Daeth hen wraig i'r drws a galwodd ni i'r tŷ. Cawsom ganddi bryd o fara ceirch a chaws llaeth-geifr ac afalau wedi'u pobi. Yr oedd mab yr hen wraig yno hefyd a siaradai'n chwerw.

"Cawsoch aea' caled," meddwn.

"Do, 'roedd y lluwchfëydd at y loddie a'r anifeilied yn trigo. Mae argoel am ha sych ag wedyn bydd yr afonydd yn sychu a'r corsydd yn hawdd i'w troedio a'r sarne i'w rhydio. Yna fe ddaw'r gelyn ar yn gwartha ni i losgi'r ydlanne a difa'r da . . . Pa werth sy i wisg ych Urdd a'ch gweddïe pan mae Duw a'r Forwyn mor ddi-hid ohono-ni?"

"Dal dy dafod yng ngŵydd gwŷr yr eglwys!" llefodd y fam.

"Na, mi fynna' i ddeud yr hyn sy ar y meddwl i yn glir a chyffesu wedyn i Dduw a'r Forwyn os bydd angen."

" 'Rwyt ti'n cablu!"

"Bu 'nhad farw o'r pla. Fe arbedwyd fy chwaer rhag yr anghenfil ond mae'r funud yma yn llechu'n y sgubor am iddi glywed sŵn dieithried. 'Fynn hi mo'ch gweld am fod craith agored ar ei hwyneb?"

"Bydde siawns am iachâd falle . . . yn Nhyddewi."

"Tyddewi felltigedig ! Bydde'r pryfed wedi bwyta'i chnawd cyn y medre hi gyrredd yno, a 'd oes neb yn gwybod y ffordd oddi yma cyn belled â'r lle. Dyna 'mrawd wedyn, wedi'i ladd wrth frwydro dros Wenwynwyn. Cneuen wag ydi bywyd. Cnociwch hi faint a fynnochchi, ond 'chewch chi ddim ohoni hi. Uffern dawel ydi'r cwbwl i gyd a'r dyfnderoedd yn ddychrynfeydd. Meddyliwch am fynd i uffern heb arlliw o nefoedd ynddo. Wel, dyna be ydi byw yn y lle yma. I beth y gweddïwch chi ar Dduw a hwnnw ddim yn bod?"

"Ie, fe wn i," meddwn, "am drueni byw . . . Dyna pam y dois-i i Is-Aeron o lys Aber yn Arllechwedd Ucha' 'mhell yn ôl."

Daeth cyfnewid sydyn dros ei wyneb a daeth dicter o fath arall i'w anesmwytho.

"Llys Aber ! Dyna lle'r oedd llys yr Arglwydd Llywelyn ab Iorwerth. Fo oedd yn gyfrifol am farwolaeth y mrawd!"

"Ond mae heddwch ym Mhowys heddiw."

"Dim ond llonyddwch o flaen storm. Gwynedd fu asgwrn y gynnen erioed. Bellach mae'r Tywysog Dafydd yn rhy styfnig i gymodi â'r Brenin Harri. Gwrthododd i gyfarfod o yng Nghaerwrangon yn y Mis Bach ac yn 'Mwythig ym Mawrth. Ond mae arwyddion yn y tir a phan gyfyd gwŷr Powys o dan y Tywysog Gruffudd ag Gwenwynwyn arbedir neb o wŷr Dafydd ap Llywelyn!"

Wrth sôn am Bowys newidiodd ei wedd drachefn a daeth fflach o dynerwch i'w ruddiau.

"Gwlad lân ydi Powys", meddai, 'gwlad y meysydd ffrwythlon a'r dyfroedd îr — dyfroedd Hafren, brenhines yr afonydd. Gwlad Owain Cyfeiliog a Gwenwynwyn . . . ."

Yr oedd yn dda gennym gael dianc o awyrgylch y tyddyn hwnnw. Ac eto fel y teithiem ymlaen, meddyliais fel yr oedd Ffawd wedi rhoi i Gymru, nid un breuddwyd ond llawer a'r naill yn llethu'r llall.

O'r diwedd wedi blinder y daith drwy ganol Cymru, cyraeddasom Lanllugan ar y ffin rhwng Cydewain a Gogledd Powys.

Fel y dringem at y Clas daeth gwraig oedrannus i'n cyfarfod. Yr oedd dau gi direidus yn ei dilyn a chariai barot parablus ar ei hysgwydd. Denodd hyn sylw Rhonwen a gwenodd yn foddhaus.

Disgynnai gwallt y wraig yn gudunnau llac, blêr dros ei hysgwyddau a llusgai ei mantell y llwch — mantell a fuasai unwaith yn 'eurwisg amdani o sidan llathraid,' fel yn chwedlau'r cyfarwyddiaid. Cyn gynted ag y gwelodd ni, gwnaeth ystum arnom ni i arafu'r meirch. Troes wedyn gan gyfarch y parot.

"Un o ble wyt ti?" gofynnodd iddo.

"O Lys Mathrafal."

"Pwy sy'n mynd i farw?"

"Dafydd."

Edrychodd y wraig arnom ac yna ar y parot ac meddai :

"Ymhle mae Dafydd yn byw?"

"Yn llys Aber, siŵr iawn!"

Ond er i'r wraig holi a stilio parthed hynt Powys ni châi gan y parot ond geiriau'r offeiriad o'r gweddïau dros eneidiau'r saint :
Requiescat in pace.

'Roeddwn yn falch o gael dianc rhag y wraig i neilltuedd y Clas. Clywais gan yr Abades yn Llanllugan ei bod yn hanfod o deulu Mathrafal ac i'w theulu roi gwaddol helaeth i'r lleianod am ei chadw o fewn y lleiandy.

Drannoeth yr oedd y wraig yn yr eglwys a'r parot ar ei hysgwydd. Gweddïem dros eneidiau'r Saint o'r *De Profundis.*

"O'r dyfnder y llefais arnat, O! Argwydd! Clyw fy llefain . . ." Ar hynny torrodd llais y parot ar gysegredigrwydd y gwasanaeth gyda'i *Requiescat in pace*!

Yna dechreuodd y lleianod chwerthin a murmur yn y côr. Anesmwythais innau am fod sŵn proffwydoliaeth yng ngeiriau'r wraig a'r parot am ddyfodol Gwynedd ac yn rhywle, yn fy nghalon, yr oedd yr hen, hen atgasedd rhwng Gwynedd a Phowys.

Buom ddeuddydd yn Llanllugan yn aros am y Brawd a'r Conversi o Ystrad Fflur a aethai ar ymweliad ag Ystrad Marchell. Gorwedd y fynachlog yn Ystrad Marchell, mewn hanner cylch o fryniau yn nhrefgordd Gwaun-y-Grog a chlywais fod y bryniau a'r coed yno, yn doreithiog. Gellir gweld o'r fynachlog dros Ddyffryn Hafren tua gwastadeddau Amwythig. Lleiandy bach tlawd fel Llan-llŷr yw Llanllugan ond bod yno ormodedd o gŵn a chathod ac adar.

Gadawsom Rhonwen yn ddiddig ddigon yng nghwmni'r wraig orffwyll a'i pharot.

Ychydig iawn o bleser a gefais i o deithio gwlad Powys ac yr oeddwn yn falch o gyrraedd yn ôl i Ddyffryn Aeron. Y mae un man y carwn fynd ar bererindod iddo ryw dro, a hwnnw yw Capel Mair o Ben Rhys. Addewais y câi Alis ddod i'r daith honno ond ni wn a ddaw'r breuddwyd i ben. Dylai'r Abad Gruffudd fod yn ôl yn y fynachlog cyn hynny.

Gŵyl Ieuan yr Haf, 1241.

Mae'n agos i ddeufis er pan ymadawodd yr Abad Gruffudd am Citeaux. Mae rhyw brudd-der dros y lle er pan aeth i ffwrdd. Clywais heddiw fod yr Iarll Gilbert o Aberteifi wedi'i ladd mewn twrnameint. Ymestynnai ei diriogaeth draw hyd Gaerllion-ar-wysg a Chas-gwent. Mae sŵn anniddigrwydd hefyd yng Ngwynedd. Mae'r Arglwydd Dafydd yn osgoi cyfarfod â'r Brenin Harri. Ar y naill ochr y mae Ednyfed Fychan, Einion Fychan ac Esgob Llanelwy yn ceisio sicrhau iddo'i deitl gan y brenin. Ar y llall, Esgobion Caerwrangon a Norwich, Rhisiart Iarll Cernyw, John o Fynwy ac Otto, llysgennad y Pab. Mae'r haf yn sych ac os bydd i'r brenin ymdaith tua Chymru bydd Hafren a Chlwyd a Chonwy yn fas eu dyfroedd ac yn hawdd eu rhydio. Ac os croesir Morfa Rhuddlan bydd y gaer yn Eryri mewn perygl. Clywais fod yr Arglwydd Gruffudd yn disgwyl ei ryddhau o gastell Cricieth. Ond weithiau bydd yn bwysicach colli arglwydd i gadw gwlad. Fe arswydai F'arglwydd Llewelyn pe gwelai'r bwnglera a fu ar Wynedd.

Mae'r Conversi yn y meysydd a bydd y cnwd yn dda. Mae dwy o'r chwiorydd ers oriau yn hel gwair yng Nghae'r-llan a bu'r Chwaer Matilda gyda Moi a Meilir yn casglu briallu a bwtsias-y-gôg. Gwnaeth y bechgyn gadwyn o'r blodau, ar yn ail, a'u rhoi am wddf y Forwyn yn yr eglwys i gofio am Ddafydd ap Gwion.

Er pan ymadawodd yr Abad Gruffudd cefais gysur o fyfyrio ar y bywyd hwn o ymgysegriad. Caethïwyd fi beth yn ddiweddar gan boen yn yr amrannau. Fe ddaw'n sydyn ac yn finiog fel llafn y gyllell ac yna marweiddio'n ddim. Daw'r lleianod un ac un i'm hystafell i dreulio oriau'r dydd. Ddoe bu'r Chwaer Joanna yn sôn am y diwrnod hwnnw pan dderbyniwyd hi mewn lleiandy mawr yn Lloegr i gyflawn freintiau ein hurdd. Deucant o'r lleianod mor llonydd â marmor gwyn fel pe na symudasent erioed. Y nofisiaid yn cerdded i lawr corff yr eglwys ac yn syrthio ar hyd gyhyd ar y llawr cyn cyrraedd yr allor. Dyma'r symbol o farwolaeth i'r byd, i'r cynefin, i'r hunan-arall ac i'n ceraint. Sŵn llafar-ganu'r, *Veni Sponsa Christi,* fel y neseir at yr allor a'r côr yn canu :

"Gwared dy law-forwyn, O! Arglwydd, oblegid ynot Ti y mae ei gobaith. Rho ostyngeiddrwydd yn ei chalon. Boed iddi gael ei dyrchafu gan ufudd-dod, a'i rhwymo â'r heddwch tragwyddol. Boed iddi weddïo'n wastadol. Derbyn O! Arglwydd! ei gweithred ymgysegriad."

Yna gwisgo'r benwisg, y groes a'r paderau a'r gwregys lledr a'r côr yn canu : *Confirma Hoc Deus . . .*

Ar y nos cyn y derbynnir hi bydd pob nofis yn gweddïo ar Dduw am nerth i ymarfer â thawelwch y lleiandy, un o'r pwerau mawr sy'n sylfaen i fynachaeth. Yna, bydd yn ymollwng i gymdeithas y *terra incognita* lle nad oes wahaniaeth oedran na chredo na safle gymdeithasol. Byddwn yn gweddïo ar Dduw seithwaith y dydd. Felly y bydd adeg y Matins a'r Laudes a'r Prim. Y cymundeb rheolaidd hwn ac oriau penyd yw'r cyfryngau i gadw'n pwyll mewn cymdeithas fel hon. Ddwy noson yr wythnos, ar nosau Gwener a Mercher byddwn yn poenydio ein hysgwydd-au noethion yn y dortur gyda'r fodrwy ag arni bum cadwyn fechan, bigog.

Fel y daw cwsg ataf y nosweithiau hynny fe ddaw'n rheolaidd hefyd eiriau'r Salm a'r Tierce. Mor fendigedig yw'r ymadrodd hwnnw yn nhrymedd nos, pan fydd llewych y lloer dros y Trichrug yn llithro i'r dortur :

"Dyrchafaf fy llygaid i'r mynyddoedd o'r lle y daw fy nghymorth . . . Ni'th dery yr haul y dydd na lleuad y nos. Yr Arglwydd a'th geidw rhag pob drwg ; efe a geidw dy enaid."

Ni wneid sant byth ohonof yn Arllechwedd Ucha'. Nid wyf i sant heddiw ond yma, yn Llan-llŷr medrais droedio llwybrau byd yr ysbryd.

GŴYL FAIR FAWR, 1241.

Mae'n bnawn llethol a sŵn bwhwman gwenyn yn y gwres. Ni welais erioed haf mor sych. Mae'r ffosydd yng Nghors Caron wedi eu disbyddu a'r da yn y maes yn rhy wannaidd i ymlid y pryfed i ffwrdd. Caf innau'r fath boen yn yr amrannau weithiau nes ysigo'r ymennydd. Pylir y synhwyrau a daw pelen o oleuni i chwarae ar gannwyll y llygad. Bydd arnaf ofn cau fy llygad ar adegau felly rhag methu â gweld y golau wedyn. Dyma finnau heno yng nghanol gelynion fy mhobl. Torrodd yr argae ac mae John Lestrange, Ustus Caer, fel barcud yn gwylio'r Gororau i'r brenin. Bydd byddin Lloegr yn Nhegeingl ac yn Rhuddlan gyda hyn. Arswydaf wrth feddwl am drueni'r llys yn Aber. Mae'r cenawon i gyd yn codi o'u ffeuau ac yn gwylio'r cae — Roger Montalt a Gruffudd ap Gwenwynwyn a Ralph Mortimer ac yma, yn Llannerch Aeron, Maelgwn Fychan. Daeth Alis i'w hystafell gynnau hefo dysglaid o gawl pŷs.

"Fynnwch chi e', y Chwaer Anna?"

"Na, Alis . . . mae'r hin yn rhy boeth a 'd oes fawr o archwaeth bwyd rywsut."

"Hidiwch mono, y Chwaer Anna. Fe ddaw'r Abad Gruffudd yn ôl o Ffrainc gyda hyn."

"Daw . . . fe ddaw'r Abad Gruffudd adre." 'R wy'n siŵr bod Alis yn credu mai hiraeth am yr Abad Gruffudd sy'n codi'r cur yn fy mhen ! Ac meddai wedyn :

"Y Chwaer Anna !"

"Ie . . . mae'r Arglwydd Maelgwn Fychan o Lannerch Aeron yn mynd i ryfel yn erbyn yr Arglwydd Dafydd. 'R wy'n gobeithio na fydd raid i Dudur fynd."

"Na, 'fynnai Maelgwn Fychan ddim colli hebogydd cystal â Thudur, Alis."

"Meddwl 'roeddwn i am y daith i Ystrad Fflur cyn y Pasg a chithe'n sôn am Beredur yn marw yn y rhyfel."

" 'R ydw i'n cofio'n dda am hynny, Alis. Fe gawsom ni amser braf yn y fynachlog, yn do ?"

"Meddwl 'roeddwn i y byddwn inne eisie marw . . . pe bai Tudur yn cael 'i ladd yn y rhyfel !"

Beichiodd wylo wedyn a thaflu'i breichiau amdanaf. Sylweddolodd ar hynny na ddylai gyffwrdd â lleian.

"Mae'n ddrwg gen' i, y Chwaer Anna," meddai.

Cerddodd wedyn yn wysg ei chefn at y drws ac wrth ei agor edrychodd yn hurt arnaf.

" 'Newch chi ddim marw, yn na newch, y Chwaer Anna, fel Dafydd ap Gwion !"

Rhedodd wedyn fel pe bai cŵn y Fall ar ei hôl. Mae rhywbeth yn ddiniwed, blentynnaidd yn Alis weithiau, yn union fel y llanc hwnnw yn y gaer yn Aber ers talwm a rythodd yn fy wyneb gan weiddi fod Peredur wedi marw. Nid unwaith ond dwywaith weithiau, y daw yr un profiad i ddyn. Yna daeth Moi a Meilir o rywle gyda bwndel bach llwyd cynnes yn eu breichiau.

"I chi, y Chwaer Anna . . . oddi wrth y Chwaer Matilda." Cwningen fach oedd wedi'i dal mewn rhwyd ar Faes-y-llan. Aethant â hi wedyn i'r 'sgubor i'w hymgeleddu.

Neithiwr, am y tro cyntaf ers tro, bûm i lawr yn yr eglwys yng ngwasanaeth olaf y dydd. Goleuni gwan yr allor, cysgod y delwau a sibrydion y *Mea Culpa* . . . 'Fe'm cyhuddaf fy hun', yn gwau drwy'r tawelwch. Yno yr oedd pob lleian yn bodoli ar wahân yn nhywyll-leoedd ei chydwybod. Dyma gyfrinach y tawelwch mewnol sy'n nodweddu'n hurdd. Yn y munudau hynny sylweddola pob lleian mai creadigaeth gras Duw ydyw a phlentyn y Cariad Tragwyddol. Bydd yr awyr a anedlir yn eneiniedig. Yno y trig heddwch a llawenydd. Ac fel y mae Duw yn maddau y mae'n sancteiddio. Daw â'r *Infusio Caritatis* sef y 'Cariad Tywalltedig' fel balm i'r galon fel y bo dyn yn galw "Abba Dad!" Yna bydd cân y lleianod yn uno yn y *Salve Regina* pan ddaw'r dydd i'w ddiwedd. A thrwy wledydd Cred clywir y geiriau *O, dulcis Virgo Maria.* Dyma awr cymundeb y saint.

GŴYL FIHANGEL, 1241

Lliwiau'r hydref. Maent fel tân yn llosgi. Y rhwd yn y rhedyn; sŵn pell y preiddiau a thrwst adar yn ffoi. Maent yma i gyd. Fe'u mwynhâf tra pharhânt. Y bore hwn fe'u gwelwn mor glir onid yn gliriach nag erioed. Trawyd fi'n ddiweddar ag ysbeidiau hir o ddallineb. Weithiau fe safaf ar glogwyn Glyn y Cysgodion lle na ddaw na salm na gweddi na gair o gysur.

Daw newyddion trist o Wynedd. Bu'r haf eithriadol o sych yn gynhorthwy i'r Brenin Harri. Medrodd groesi Morfa Rhuddlan ac yng Ngwern Eigron ar lan Elwy ildiodd yr Arglwydd Dafydd iddo. Ond nid yw'r brenin ychwaith yn hollol anhrugarog tuag at ei geraint ei hun. Gwneir cytundeb rhyngddynt yn Llundain yn union wedi Gŵyl Fihangel. Er i Ddafydd fedru cadw ei hawl i arglwyddiaeth Eryri fe gollir Elsmer deg a Thegeingl. Dychwelir Roger o Montalt i diriogaeth yr Wyddgrug a Gruffudd ap Gwenwynwyn i Dde Powys. Collir Meirionnydd, ac efallai Ddegannwy, ac yma o'n cylch y mae Maelgwn Fychan yn Is-Aeron, Maredudd ab Owain yn Uwch-Aeron a Rhys Mechyll ap Rhys Grug o Ddinefwr yn gwylio fel cywion y gigfran. Os rhyddheir yr Arglwydd Gruffudd o gastell Cricieth a rhoi iddo dir yng Ngwynedd bydd dyddiau yr Arglwydd Dafydd wedi'u rhifo. Gyda marwolaeth yr hen flwyddyn, daw argyllaeth i fysg fy mhobl. Gweddïaf beunydd ar awr Offeren a Gosber :

"O ! Fair Fam Iesu ! Cadw Gymru fy ngwlad!

"O ! Arglwydd, ein nodded a'n cryfder, edrych i lawr mewn trugaredd ar dristwch dy bobl.

"Sant Mihangel, yr Archangel, amddiffyn ni mewn brwydr; diogela ni rhag malais a maglau'r Diafol.

"Lân galon Iesu, trugarhâ wrthym!"

Heddiw dychwelodd y Chwaer Elinor ac Alis a Thudur yr hebogydd ynghyda dau o'r brodyr o Ystrad Fflur, o bererindod i Gapel Mair o Ben Rhys. Buont yn hir ar y daith. Gorwedd Pen Rhys rhwng y Rhondda Fawr a'r Rhondda Fach. I'r chwith iddo y mae Mynydd Cymer ac i'r dwyrain Fynydd-y-glyn. Cyfyd yn fil o droedfeddi uwchlaw'r môr tuag Archddeoniaeth Brycheiniog.

Yr oedd yno gannoedd o bererinion, meddai'r Chwaer Elinor, yn forwyr o lannau Môr Hafren ac yn fynaich o Abaty Llantarnam yn ymlwybro hyd y llwybrau diarffordd i Gapel Mair.

Mae yno'r ddelw fireiniaf o'r Forwyn ac arni addurniadau o aur a gemau. Ar fur y capel gwelir darlun o Ddydd Barn lle mae Duw yn didoli eneidiau dynion. Saif Sant Mihangel gyda'i glorian i bwyso'r drwg a'r da. Cyfyd y meirw o'u beddau ar lef utgorn yr Archangel. Fel y mae'r Diafol yn ymyrryd â'r clorian rhydd y Forwyn bwys ei phaderau o blaid y saint. Ym Mhen-Rhys ymgasglai cleifion y parlys a'r cryd a dioddefwyr y cornwydydd a chlwy'r marchogion at fin Ffynnon Fair ac fel y codai gweddïau'r saint heibio i frig y fforestydd byrlymai'r dŵr bywiol megis Afon y Bywyd yn glir fel grisial. Ac meddai Alis :

"Dyna drueni na chawsoch fynd i Ben-Rhys, y Chwaer Anna."

"Lle mae'r ffynnon o dan y dderwen . . . "

"Fel grisial."

"A Phren y Bywyd yn tyfu ar lannau Afon Duw."

"A bydd dail y Pren yn iachâu'r cenhedloedd !"

"Na . . . Alis. Mae'r Forwyn yn Llan-llŷr ers tro bellach. Raid imi ddim teithio 'mhell i'w chyrchu."

"Fe ddyle'r Abad Gruffudd ddod yn ôl gyda hyn, y Chwaer Anna . . . Mi fydda' i'n madael â Llan-llŷr cyn Calan Gaea."

"Am Lannerch Aeron ?"

"Ie, i briodi gyda Thudur . . . Mae'n dda gen' i na fu dim rhaid iddo fo fynd i ymladd gyda'r Arglwydd Maelgwn Fychan yn erbyn ych pobl chi, y Chwaer Anna."

'R wyf innau'n llesg megis tir fy mhobl yng Ngwynedd. Bydd fy meddwl yn ffoi weithiau i Draeth y Lafan lle caf orwedd ar y tywod i aros i'r llanw ddod i mewn. Hwyrach mai fel yna y mae ar Wynedd hefyd ac y daw rhyw lanw mawr eto efo'r nawfed don, a hwnnw o hil Llywelyn Fawr. Fe roed i genedl godi ei phen eilwaith, ond nid i ddynion.

Wedi Gŵyl Mihangel, 1241.

Mae'r Abad Gruffudd mor hir yn dychwelyd fel yr anobeithiaf am ei weld. Fel y gorweddaf yma yn neilltuedd f'ystafell daw ambell hen brofiad yn las o lwydni'r niwl — golau'r haul ar drwch o eira yn Arllechwedd Ucha', blodau'r grug ar Fanc-y-gilfach-frân yn Llan-llŷr, ambell gyfeillach brin â'r Abad Gruffudd a sŵn canu'r *Angus Dei* ar adeg cyflwyno Nofis yn llenwi'r awyr fel gwead sidan.

Bu ein pererindod ysbrydol yn baratöad i nefoedd eneidiau a'r pryd hwnnw dychlama'r enaid am Dduw fel yr hydd am y dyfroedd bywiol. Yr oedd i'r Sagrafennau eu cyfrinach;

i ddyddiau ac i fisoedd eu harbenigrwydd. Ar ddydd Gwener cofid y Dioddefaint ac ar ddydd Sadwrn rhoddid parch i Fair Forwyn. Yr oedd mis Mai hefyd yn fis y Forwyn; Gorffennaf yn fis y Gwaed Gwerthfawr a Thachwedd yn fis yr Eneidiau Sanctaidd.

Anadlu i mewn i fyd arall y byddwn ni ar awr marwolaeth. Ni bydd marwolaeth yn rhywbeth i'w ofni. Yr ydym yn byw beunydd ar riniog Tragwyddoldeb ac nid oes i Dragwyddoldeb na ffin na mesur. Saif goleuni Duw rhwng blynyddoedd einioes dyn a phan ddistawa'r galon ac y llonydda'r synhwyrau, bydd fel anadlu ar ddaear newydd. Yno bydd Gardd Paradwys a blodau a murmur gwenyn; Symudiad ysgafn glöyn byw a ffresni coed a ffynhonnau. Neges angylion yw lleisiau adar Paradwys.

Bydd y Forwyn ar ddydd Corpus Christi yn dwyn y Sagrafen Fendigaid i'r maes ac yn bendithio'r blodau o'r weirglodd, mêl y gwenyn, y dywysen, yr arogldarth, y meini gwerthfawr a'r lliain main a'u dwyn i gylch cyfriniaeth y Dirgelwch Tragwyddol. Felly hefyd yr adnewyddir yr enaid ar riniog y byd arall ac y cyfyd gorfoledd y *Sursum Corda* . . . 'Eich calonnau a ireiddir' . . . a'r *Benedicte*

Domino . . . 'Bendithiwch yr Arglwydd,' Gymundeb y Saint.

Mae hi'n dawel yma yn Llan-llŷr. Mae'n awr Gosber a gweddïau'r saint yn ymestyn dros wledydd Cred . . .

"Cerais, O ! Arglwydd, brydferthwch dy Dŷ a'r man y trig dy ogoniant ynddo. Na chymer i ffwrdd fy enaid i gymdeithas yr annuwolion . . . Oen Duw ! Ti a gymeri ymaith bechodau'r byd. Trugarhâ wrthyf ! Oen Duw ! Ti a gymeri ymaith bechodau'r byd. Caniatâ i mi dangnefedd. Iesu, Mair a Ioseff, bydded i mi anadlu f'enaid i'r tawelwch tragwyddol . . . "